A1

MW01202106

Claire Miquel

COMMUNICATION PROGRESSIVE DU FRANÇAIS

2e édition
avec 320 exercices

www.cle-international.com

Direction de la production éditoriale : Béatrice Rego
Marketing : Thierry Lucas
Édition : Christine Grall
Couverture : Miz'enpage
Mise en page : Arts Graphiques Drouais (28100 Dreux)
Illustrations : Claude-Henri Saunier

© CLE International 2018
ISBN : 978-209-038445-1

Avant-propos

Bienvenue dans la nouvelle édition de la *Communication progressive du français, niveau débutant*, **revue, corrigée et augmentée**. Ce manuel peut s'utiliser aussi bien **en classe**, comme support ou complément de cours, qu'**en auto-apprentissage**.

L'objectif de ce livre est d'offrir à **un adulte ou un adolescent de niveau débutant ou faux débutant** (niveau A1-A2) un contact direct avec des situations réelles de communication. En effet, les 40 chapitres thématiques qui composent cet ouvrage correspondent à **des actes de parole** essentiels aux interactions les plus courantes de la vie moderne *(demander des renseignements, localiser, parler de son CV...)*.

Construit comme une série de cours, l'ouvrage s'inscrit dans la collection « progressive » et en respecte donc le principe.

■ **Chaque page de gauche** comprend quatre parties :

– **un dialogue** correspondant à des situations usuelles de **la vie quotidienne** : chez des commerçants, entre amis, entre parents et enfants, avec des collègues de travail... ;

– un point de **grammaire**, qui propose un rappel de notions fondamentales intervenant dans le dialogue *(masculin/féminin, construction du passé composé, utilisation des pronoms personnels...)* ;

– un point de **vocabulaire**, qui rassemble, dans le même champ sémantique, les termes essentiels requis dans la situation *(la santé, les directions, le bureau...)* ;

– enfin, sous la rubrique « **manières de dire** », un récapitulatif des structures les plus importantes à retenir pour cet acte de parole particulier.

Cette organisation permet à l'élève de travailler le dialogue de diverses manières, selon nécessité ou goût, en se concentrant plus particulièrement sur tel ou tel point.

■ **Chaque page de droite** comprend à son tour quatre types d'activités :

– le premier exercice a pour but de vérifier **la bonne compréhension du dialogue** en regard ;

– un ou deux exercices portent sur le point de **grammaire** présenté sur la page de gauche ;

– un ou deux autres exercices d'application font ensuite intervenir le **vocabulaire** introduit ;

– les dernières activités permettent à l'élève de s'approprier **l'acte de communication** abordé. Plus créatives, ces activités, qui peuvent se réaliser tant à l'oral qu'à l'écrit, constituent de véritables synthèses des notions de vocabulaire, grammaire et communication traitées sur la page de gauche.

■ **Les illustrations** offrent au lecteur un complément d'informations sur les codes vestimentaires, les gestes, les attitudes caractéristiques des Français.

Cette deuxième édition comporte **de précieuses nouveautés :**

■ **9 nouvelles activités communicatives** rassemblent les notions abordées dans différents chapitres et viennent donc compléter l'apprentissage. Chaque dialogue est enregistré sur le CD et est suivi d'exercices de compréhension, de vocabulaire et de communication.

■ **Un test d'évaluation** noté sur 100, composé de dix exercices et de leurs corrigés, fait appel à l'essentiel des notions de communication abordées. Selon le choix du professeur, ce test peut se faire au début de l'apprentissage, pour estimer le niveau de départ de l'élève, ou, au contraire, à la fin, pour constater les progrès !

■ **Des exercices oraux**, figurant dans le CD, permettent aux élèves de réagir à ce qui est le plus difficile dans une langue étrangère : l'effet de surprise provoqué par une question, une situation imprévue, un obstacle.

■ **Un index thématique** permet de retrouver facilement un dialogue, non plus par acte de parole mais par sujet (*le bureau, le sport, l'immobilier…*).

Enfin, l'élève retrouvera les outils de la première édition :

■ **Un index grammatical**, qui récapitule toutes les notions abordées sur la page de gauche.

■ **Un index de vocabulaire**, qui comprend les termes présentés dans les points de vocabulaire.

■ **Un CD**, inclus dans le livre, comprenant tous les dialogues, les 9 activités communicatives et les exercices oraux, ce qui permet de travailler aussi bien la compréhension orale que la prononciation. Le ton choisi est le plus naturel possible, afin que ces dialogues constituent une véritable « photographie sonore » de la réalité de la conversation française d'aujourd'hui.

■ **Les corrigés** se trouvent dans un livret séparé, offrant ainsi toute liberté au lecteur de travailler par lui-même, si besoin est.

Grâce à sa souplesse d'utilisation et à l'autonomie de ses chapitres, cet ouvrage constitue un utile complément aux méthodes de français langue étrangère.

Bonne communication !

• *L'astérisque * qui suit certains mots ou expressions signale leur appartenance au registre familier de la langue.*

• *Les numéros des pistes du CD sont donnés à côté de chaque texte enregistré.*

Table des contenus

I Faire les courses

ACTE DE PAROLE	SITUATION	GRAMMAIRE	VOCABULAIRE	PAGES
1. Demander des articles	1. À la boulangerie-pâtisserie 2. À la poste	• masculin/féminin/pluriel des noms • interrogation simple	• boulangerie • poste	8 10
2. Parler des quantités	1. Au marché 2. À l'épicerie	• quantité • quantité indéfinie	• fruits et légumes • produits de base	12 14
3. Demander le prix	Dans une papeterie	• infinitif	• papeterie	16
4. Passer une commande	1. Chez le poissonnier 2. Au café	• « pour » • « avoir », « prendre », « aller » au présent	• poissons et fruits de mer • café et bistrot	18 20
5. Faire une réservation	1. À l'hôtel 2. À la gare	• adjectif qualificatif • « quel(s) », « quelle(s) »… ?	• hôtel • trains, billets…	22 24
6. Faire des achats	1. Dans une boutique de vêtements 2. Dans un magasin de chaussures	• « trop » / « assez » • « dans » / « sur »	• vêtements • chaussures	26 28
7. Hésiter	Au magasin d'informatique	• « savoir », « croire », « vouloir » au présent	• ordinateur	30

II Renseigner, se renseigner

ACTE DE PAROLE	SITUATION	GRAMMAIRE	VOCABULAIRE	PAGES
8. Prendre rendez-vous	1. Chez le dentiste 2. Au cabinet médical	• superlatif • imparfait (« avoir », « être »)	• dentiste, dents… • rendez-vous	32 34
9. Demander des renseignements	1. Dans une station de métro 2. Dans une association sportive 3. À l'office du tourisme	• « devoir », « pouvoir » au présent • expressions de temps • interrogation complexe	• métro, bus… • inscriptions • bal, 14 juillet…	36 38 40
10. Exprimer une obligation	Dans une administration	• verbes + « à »	• administration	42
11. Autoriser et interdire	Dans une station de ski	• « c'est », « il est » + adjectif	• ski, pistes…	44
12. Vérifier	Dans une station balnéaire	• complément de nom	• nager, piscine…	46
13. Protester	Au camping	• futur proche	• camping, tente…	48
14. Exprimer des intentions, des projets	1. Louer des vélos 2. À la banque	• pronoms personnels compléments • futur simple	• location, vélos… • banque, comptes…	50 52

III Parler des lieux et des objets

ACTE DE PAROLE	SITUATION	GRAMMAIRE	VOCABULAIRE	PAGES
15. Localiser	**1.** Aux Galeries Lafayette	• prépositions et adverbes de lieu	• caisse, rayon…	**54**
	2. À la campagne	• pronom relatif « qui »	• village, église…	**56**
	3. Un objet perdu	• pronoms personnels directs au passé composé	• déclaration de vol…	**58**
16. S'informer par téléphone	Une maison à louer	• le pronom « en »	• maison, garage…	**60**
17. Comparer	À propos des vacances	• comparatif	• tourisme	**62**
18. Caractériser	Avant une fête d'anniversaire	• pronoms démonstratifs	• table, vaisselle…	**64**
19. Exprimer une condition	Le temps qu'il fait	• hypothèse réelle, condition	• météo	**66**
20. Parler d'un besoin	Dans un nouveau bureau	• verbes en -er au subjonctif	• mobile, Toile…	**68**

IV Parler aux autres

ACTE DE PAROLE	SITUATION	GRAMMAIRE	VOCABULAIRE	PAGES
21. Saluer et présenter	Dans la rue	• verbes pronominaux (présent)	• voisin, collègue…	**70**
22. Excuser et s'excuser	Monsieur « Catastrophe »	• plus-que-parfait	• actions quotidiennes	**72**
23. Téléphoner	**1.** Un ami téléphone	• pronoms personnels indirects	• téléphone	**74**
	2. Dans une entreprise	• doubles pronoms personnels	• standard, ligne…	**76**
24. Donner des instructions	**1.** Au club de gym	• impératif « vous »	• gymnastique	**78**
	2. Dans un jardin public	• impératif « tu »	• jardin, toboggan…	**80**
25. Nier	Une mère et son fils	• passé composé négatif	• ranger, chercher…	**82**
26. Inviter, accepter, refuser	**1.** Entre voisins	• adjectifs possessifs	• propriétaire…	**84**
	2. Au travail	• « on » pour « nous »	• bureau, réunions…	**86**
27. Demander à quelqu'un de faire quelque chose	Au bureau	• discours indirect	• temps qui passe	**88**
28. Proposer	La préparation d'un pique-nique	• conditionnel présent	• pique-nique…	**90**

V Parler de soi

ACTE DE PAROLE	SITUATION	GRAMMAIRE	VOCABULAIRE	PAGES
29. Parler de sa santé	1. À la pharmacie 2. Une jambe cassée 3. Chez le médecin	• pronoms indéfinis • passé composé avec « être » • gérondif	• comprimés, gouttes… • accident, fracture… • radio, ordonnance…	92 94 96
30. Parler de ses goûts	Entre amis	• verbes avec « de » + infinitif	• passe-temps, musique…	98
31. Parler de son curriculum vitae	Une baby-sitter	• « savoir » / « connaître »	• bébé, couches…	100
32. Demander et donner son opinion	Entre collègues	• passé récent	• budget, finances…	102
33. Exprimer la surprise	Une fête d'anniversaire	• nominalisation	• fête, cadeau…	104

VI Parler des autres

ACTE DE PAROLE	SITUATION	GRAMMAIRE	VOCABULAIRE	PAGES
34. Exprimer la certitude ou l'incertitude	1. Entre deux mères 2. Enquête policière	• « ce qui », « ce que » • tournures impersonnelles	• système scolaire • parole, dispute…	106 108
35. Décrire	Au commissariat de police	• passé composé / imparfait	• description physique	110
36. Faire des compliments	Un dîner entre amies	• adverbes	• bijoux, accessoires…	112
37. Féliciter	Bonnes nouvelles !	• « tout/toute(s)/tous »	• la vie, la mort	114
38. Consoler et encourager	Après un match	• voix passive	• vie sportive	116
39. Critiquer	À la sortie d'un match	• cause	• football	118
40. Exprimer l'admiration	À la sortie d'un spectacle	• opposition	• spectacle	120

Activités communicatives 122

Texte des exercices oraux 131

Test d'évaluation 132

Corrigé du test 136

Index thématique 137

Index grammatical 138

Index de vocabulaire 139

Demander des articles

1 À la boulangerie-pâtisserie

L'employée : Madame ?

La cliente : Bonjour, madame, **je voudrais** un croissant au beurre, deux pains au chocolat et une brioche au sucre, s'il vous plaît.

L'employée : Oui, madame, et avec ceci ?

La cliente : Je vais prendre aussi une tarte pour six personnes.

L'employée : Qu'est-ce que vous préférez, comme tarte ? Nous avons des tartes aux pommes, aux fraises, au citron…

La cliente : Une belle tarte aux fraises, c'est très bien.

Grammaire

Le masculin, le féminin et le pluriel des noms

■ **Nom masculin**
un croissant, **un** bonbon
un gâteau **au chocolat**
une brioche **au sucre**

■ **Nom féminin**
une tarte, **une** brioche
une glace **à la fraise, à la framboise**…

■ **Nom pluriel**
des fruits, **des** gâteaux
une tarte **aux pommes, aux abricots**…

Vocabulaire

• **du pain**
une baguette, un pain complet, un pain de mie…

• **des viennoiseries**
un croissant, une brioche, un pain au chocolat, un chausson aux pommes…

• **des gâteaux**
un éclair au café, un millefeuille, un chou à la crème…

• **des tartes…**
… au citron, aux fraises, aux pommes, aux abricots…

• des bonbons, du chocolat, des glaces

Manières de dire

• Je voudrais…

• Je vais prendre…

Ou, tout simplement :

• Un croissant, s'il vous plaît !

Remarque culturelle. L'utilisation de « madame », « monsieur » est parfaitement normale et polie. Sous forme de question (« monsieur ?/madame ? »), ces mots signifient : « Vous désirez ? ».

1   Compréhension. Vrai ou faux ?

	VRAI	FAUX
1. La cliente achète du pain.	☐	☐
2. La cliente voudrait aussi une tarte.	☐	☐
3. L'employée propose deux sortes de tarte.	☐	☐
4. La cliente choisit la tarte aux pommes.	☐	☐

2   Grammaire. Complétez les phrases par « un », « une », « des ».

1. Elle achète _____ baguette.

2. Il voudrait _____ glace.

3. Vous avez _____ bonbons ?

4. Ils achètent _____ pain de campagne.

5. Nous mangeons _____ brioche.

6. Elle prend _____ gâteaux.

7. Il va prendre _____ tarte.

8. Il mange _____ gâteau.

9. Elle voudrait _____ croissant.

10. Ils ont _____ pains au chocolat.

3   Grammaire. Complétez par « au », « à la » ou « aux ».

1. une tarte _____ pommes

2. un éclair _____ chocolat

3. un chou _____ crème

4. une glace _____ vanille

5. un sorbet _____ citron

6. un bonbon _____ menthe

4   Vocabulaire. Que pouvez-vous acheter dans une boulangerie-pâtisserie ? Entourez les bonnes réponses.

un croissant, une fleur, des bonbons, une baguette, un chausson aux pommes, des pommes, une tarte

aux poires, du lait, une brioche, du papier, un éclair au chocolat, un pain au chocolat, un client

5   Communication. Complétez le dialogue suivant.

1. — Monsieur ?

— _____

2. — Oui, monsieur. Voilà deux croissants. Et avec ceci ?

— _____

3. — Nous avons des petites tartes aux pommes, aux framboises, au citron…

— _____

4. — Voilà, monsieur, deux petites tartes au citron.

6   À vous ! Vous êtes à la boulangerie. Vous demandez une baguette, deux pains au chocolat et un croissant. Imaginez et jouez le dialogue avec la boulangère.

© CLE international 2013. La photocopie non autorisée est un délit.

2 À la poste 🎧³

Susan : Bonjour, monsieur, **je voudrais envoyer ce paquet** aux États-Unis, s'il vous plaît.

Le postier : Oui, en tarif normal ou en prioritaire ?

Susan : En prioritaire, s'il vous plaît.

Le postier : D'abord, vous devez remplir cette fiche de douane.

Susan : Ah oui, « contenu du paquet » : un livre de cuisine.

Le postier : Merci. Voilà, mademoiselle, ça fait 8,50 €. Il vous faut autre chose ?

Susan : Oui, **je voudrais aussi un carnet de timbres** pour l'Europe, s'il vous plaît.

Le postier : Voilà, dix timbres à 0,50 €. Ce sera tout ?

Susan : Non. **Est-ce que vous avez aussi** des jolis timbres ?

Le postier : Oui, bien sûr. Voilà, nous avons des timbres qui représentent les principaux monuments de France.

Susan : C'est parfait ! Alors, donnez-moi cinq jolis timbres, s'il vous plaît.

Le postier : Voilà. Au total, cela fera 16 €.

Grammaire

Structure de la question simple

■ **Registre élevé (style écrit)**
Avez-vous des timbres ?
Habitez-vous à Lyon ?

■ **Registre normal**
Est-ce que vous avez des timbres ?
Est-ce que vous habitez à Lyon ?

■ **Registre familier, avec l'intonation**
Vous avez des timbres ?
Vous habitez à Lyon ?

Vocabulaire

- le tarif = le prix
- en tarif normal ≠ prioritaire
- un paquet = un colis
- un timbre à 0,60 € (« soixante centimes »)
- un carnet de timbres = 10 timbres
- envoyer une lettre, une carte postale ≠ recevoir une lettre
- l'expéditeur ≠ le destinataire
- le code postal
- une fiche de douane

Manières de dire

- Je voudrais envoyer… un paquet, une lettre, une carte postale…
- Je voudrais… des timbres pour le Canada.
- Est-ce que vous avez… des timbres… ?
- Donnez-moi… un carnet de timbres.

1 Compréhension. Vrai ou faux ?

	VRAI	FAUX
1. Susan envoie une lettre aux États-Unis.	☐	☐
2. Susan achète dix timbres pour l'Europe.	☐	☐
3. Susan n'aime pas les timbres.	☐	☐
4. Elle achète un carnet de beaux timbres.	☐	☐

2 Grammaire. Trouvez une question possible, et variez le registre.

1. _____ ?

— Non, je n'ai pas l'adresse du restaurant.

2. _____ ?

— Oui, je travaille à la Poste.

3. _____ ?

— Non, je préfère envoyer le paquet en tarif normal.

4. _____ ?

— Oui, je reçois souvent des lettres.

5. _____ ?

— Oui, je connais le code postal de cette ville.

3 Vocabulaire. Choisissez la bonne réponse.

1. Vous envoyez cette lettre en | tarif | prix | normal ?

2. J'ai reçu un | carnet | colis | de Grèce.

3. Je voudrais | recevoir | envoyer | cette lettre en Pologne.

4. Vous devez remplir une fiche de | douane | timbre |.

5. Vous connaissez le code | prioritaire | postal | de ce village ?

4 Communication. Vous demandez les articles suivants. Faites des phrases.

1. dix timbres – **2.** deux timbres pour le Sénégal – **3.** envoyer un paquet en Allemagne

5 Communication. Complétez le dialogue.

1. — Je _____ envoyer ce colis en Angleterre, s'il vous plaît.

2. — Oui, monsieur. En _____ normal ou _____ ?

3. — Normal, s'il vous plaît.

© CLE International 2013. La photocopie non autorisée est un délit.

2 Parler des quantités

Faire les courses

1 Au marché

Le marchand : Bonjour, madame, vous désirez ?
La cliente : Je voudrais **un kilo de** tomates, **deux** courgettes et un poivron vert, s'il vous plaît.
Le marchand : Voilà, madame. Et avec ceci ?
La cliente : Je vais prendre aussi quatre pommes et **une livre de** fraises.
Le marchand : Voilà. Ce sera tout ?
La cliente : Non, je voudrais aussi **un peu de** persil.

Grammaire

Expression de la quantité

Ne dites pas :
un kilo ~~des~~ tomates,
mais :
un kilo **de** tomates,
un litre **d'**huile.

Ne dites pas :
beaucoup ~~des~~ amis,
mais :
beaucoup **d'**amis,
un grand nombre **de** gens…

Ne dites pas :
un peu ~~du~~ persil,
mais :
un peu **de** persil.

Vocabulaire

* **quelques légumes**
  une pomme de terre, une courgette, un oignon, une aubergine, une tomate, un chou-fleur, une carotte, un poivron rouge, un poivron vert, un poireau, un brocoli, une salade, des haricots verts, des champignons…

* **quelques fruits**
  une pomme, une orange, un citron, un pamplemousse, une poire, une pêche, des cerises, des fraises, un abricot, une banane, du raisin…

* **quelques herbes**
  le persil, la menthe, le basilic, les herbes de Provence (thym, romarin, laurier…)

Manières de dire

* un kilo de…
* une livre de = 500 grammes de…
* quatre citrons…
* une douzaine de…
* un litre de…
* un demi-litre de…

Remarque linguistique. L'expression « un demi-kilo » existe, mais est très rarement employée. On dit plutôt « une livre » ou « 500 grammes ».

1 Compréhension. Vrai ou faux ?

	VRAI	FAUX
1. La cliente achète seulement des légumes.	☐	☐
2. Les pommes sont des légumes.	☐	☐
3. La cliente achète 500 grammes de fraises.	☐	☐
4. La cliente achète une herbe.	☐	☐

2 Grammaire. Complétez.

1. un litre _____ eau

2. un kilo _____ carottes

3. une bouteille _____ huile

4. beaucoup _____ oignons

5. une livre _____ abricots

6. un paquet _____ sucre

3 Grammaire et vocabulaire. Complétez par « un », « une » ou « des ». Dites ensuite si c'est un fruit (a) ou un légume (b).

a   b

1. _____ fraises   ☐ ☐

2. _____ carotte   ☐ ☐

3. _____ poireau   ☐ ☐

4. _____ citron   ☐ ☐

5. _____ poivron   ☐ ☐

a   b

6. _____ cerises   ☐ ☐

7. _____ oignon   ☐ ☐

8. _____ poire   ☐ ☐

9. _____ chou-fleur   ☐ ☐

10. _____ aubergines   ☐ ☐

4 Communication. **Vous êtes chez le marchand de fruits. Voici votre liste. Faites des phrases pour demander les produits suivants.**

poivrons (2) – pommes (6) – cerises (1 kg) – haricots verts (500 g) – tomates (12)

_____

_____

_____

_____

_____

5 Communication. **Remettez le dialogue dans l'ordre.**

a. — Voilà, monsieur. Et avec ceci ?

b. — Je voudrais six pêches et une livre de cerises, s'il vous plaît.

c. — Bonjour, monsieur, vous désirez ?

d. — Ce sera tout, merci.

1. _____   **2 .** _____   **3 .** _____   **4 .** _____

© CLE International 2013. La photocopie non autorisée est un délit.

2 À l'épicerie 🎧5

Le client : Alors, **il me faut**… du jambon, du comté, de la crème fraîche, des œufs, de l'eau… Bonjour monsieur, **je voudrais un morceau de** comté, s'il vous plaît.

L'épicier : Voilà, monsieur, et avec ceci ?

Le client : Donnez-moi aussi **un petit pot de** crème fraîche et **une douzaine d'œufs.**

L'épicier : Voilà. Ce sera tout ?

Le client : Non, il me faut aussi **quatre tranches de** jambon, s'il vous plaît. Et **je vais prendre deux bouteilles d'**eau plate.

Grammaire

Quantité indéfinie

■ **Nom masculin**
du jambon, **du** fromage

■ **Nom féminin**
de la confiture, **de la** crème

■ **Nom féminin commençant par « h » ou une voyelle**
de l'eau, **de l'**huile

■ **Nom pluriel**
des épinards

Vocabulaire

• **des produits de base**
le riz, les pâtes, le sucre, la farine, la confiture, le miel, les conserves, la sauce tomate, la mayonnaise, l'huile, le vinaigre, le sel, le poivre, l'eau minérale, le vin, la bière…

• **des produits frais**
le jambon, le fromage, le lait, le beurre, les yaourts, la crème fraîche, les œufs, les fruits, les légumes…

• **la viande**
le porc, le bœuf, l'agneau, le veau, le poulet…

• **le poisson**
le saumon, la truite, le thon, la sole…

Manières de dire

• Je voudrais… un paquet de biscuits, un pot de crème…

• Il me faut… un morceau de fromage, une tranche de jambon…

• Donnez-moi… un tube de mayonnaise…

• Je vais prendre… une bouteille d'huile…

Remarque de vocabulaire. On distingue l'eau minérale « plate » = sans gaz (Évian, Volvic…) et l'eau « gazeuse » (Perrier, Badoit…).

1 Compréhension. Vrai ou faux ?

	VRAI	FAUX
1. Le client achète un morceau de fromage.	☐	☐
2. Il achète aussi douze œufs.	☐	☐
3. L'épicier n'a pas d'eau minérale.	☐	☐

2 Grammaire. Complétez par « du », « de la », « de l' », « des », « de » ou « d' ».

1. _____ jambon

2. deux tranches _____ jambon

3. une bouteille _____ huile

4. _____ huile

5. un kilo _____ farine

6. _____ farine

7. _____ œufs

8. une douzaine _____ œufs

9. _____ biscuits

10. un paquet _____ biscuits

3 Vocabulaire. Complétez les légendes.

1. _____

2. _____

3. _____

4. _____

5. _____

6. _____

1. **2.** **3.** **4.** **5.** **6.**

4 Communication. Choisissez la bonne réponse.

1. — Bonjour, madame, vous ☐désirez☐ ☐donnez☐ ?

2. — Je ☐vais☐ ☐voudrais☐ une bouteille d'huile d'olive, s'il vous plaît.

3. — Oui, madame, et avec ceci ?

4. — ☐Dites☐ ☐Donnez-moi☐ aussi six œufs et un pot de crème fraîche.

5. — Voilà. Ce ☐sera☐ ☐faut☐ tout ?

6. — Oui, merci.

5 Communication. Vous désirez acheter les produits suivants. Faites des phrases différentes.

roquefort – beurre – miel – vinaigre – farine

6 À vous ! Expliquez les ingrédients nécessaires à votre recette préférée.

© CLE International 2013. La photocopie non autorisée est un délit.

Demander le prix

▪ Dans une papeterie

La vendeuse : Bonjour, monsieur, je peux vous renseigner ?

Le client : Oui, je voudrais voir les stylos à plume, s'il vous plaît.

La vendeuse : Oui, **vous voulez mettre combien** ?

Le client : Je ne sais pas, 40, 50 €, ça dépend.

La vendeuse : Alors, regardez ici.

Le client : Ah, ce stylo est très joli, **il fait combien** ?

La vendeuse : 75 €, monsieur.

Le client : Euh… Et **vous pouvez me dire le prix de** ce stylo noir ?

La vendeuse : Bien sûr, il fait 32 €.

Le client : Et ce stylo bleu, là ?

La vendeuse : Tous **ces stylos sont à** 47 €.

Le client : Alors, je vais prendre le bleu.

La vendeuse : C'est pour offrir ?

Le client : Oui, s'il vous plaît.

▬ Grammaire

L'utilisation de l'infinitif

▪ **Si le premier verbe est conjugué, le deuxième est à l'infinitif**

Je voudrais **voir**. Je peux vous **renseigner** ?

Vous voulez **mettre** combien ?

Vous pouvez me **dire**… ? Je vais **prendre**…

Vous pouvez **répéter** ?

▪ **« Pour » + infinitif**

C'est pour **offrir**. Pour **faire** un cadeau.

C'est pour **savoir**…

▬ Vocabulaire

- un stylo (à plume) et des cartouches (bleues, noires…), un stylo-bille, un Bic*
- un porte-mine, un crayon
- un crayon de couleur
- une gomme
- du papier à lettres, des enveloppes
- un classeur, un dossier, des chemises cartonnées…

▬ Manières de dire ▬

- Vous pouvez me dire le prix de… ?
- C'est combien ?
- Ça fait combien ? (au total)

- Les cerises sont à combien ?
- Ce pantalon fait combien ?
- Quel est le prix de… ?

Remarques culturelles et linguistiques. **1.** Le vendeur demande généralement « Vous voulez mettre combien ? ». Il ne dit jamais : « Vous voulez dépenser combien ? » – **2.** « C'est pour offrir » = c'est pour faire un cadeau. – **3.** « Je peux vous renseigner ? » = je peux vous donner des informations ?

1 Compréhension. Vrai ou faux ?

	VRAI	FAUX
1. Le client sait exactement combien il veut dépenser.	☐	☐
2. Le client n'aime pas le stylo à 75 €.	☐	☐
3. Il décide d'acheter un stylo bleu.	☐	☐
4. Le client veut faire un cadeau.	☐	☐

2 Grammaire et vocabulaire. **Complétez par un verbe utilisé dans le dialogue ci-contre.**

1. Vous voulez _____ combien ?

2. Je vais _____ le classeur rouge.

3. Je peux vous _____ ?

4. Je voudrais _____ les stylos à plume.

5. Vous pouvez me _____ le prix de ce porte-mine ?

3 Vocabulaire. **Choisissez la bonne réponse.**

1. Je voudrais du papier à | lettres | plume |.

2. L'enfant dessine avec un | stylo | crayon | de couleur.

3. J'efface avec une | gomme | cartouche |.

4. Il me faut un porte-| mine | bille |.

5. Je mets les documents dans un | papier | dossier |.

4 Communication. **Associez, pour constituer une phrase complète.**

1. Vous pouvez me dire   **a.** à combien ?

2. Le stylo fait

3. C'est   **b.** combien ?

4. Les enveloppes sont

5. Ça fait   **c.** le prix de ce stylo ?

6. Quel est

5 Communication. **Vous demandez le prix des articles suivants. Faites une phrase différente pour chaque objet.**

un porte-mine – un stylo à plume – des crayons de couleur – des chemises cartonnées – du papier à lettres

6 À vous ! **Vous souhaitez faire un cadeau à un(e) ami(e). Vous entrez dans une boutique (papeterie ou autre). Imaginez et jouez le dialogue avec la vendeuse.**

© CLE International 2013. La photocopie non autorisée est un délit.

4 Passer une commande

1 Chez le poissonnier 🎧(7)

Madame Vignon : Je voudrais commander un plateau de fruits de mer, s'il vous plaît.

Le poissonnier : Oui, madame. **Pour combien de personnes** ?

Mme Vignon : Pour six personnes.

Le poissonnier : Pour quel jour ?

Mme Vignon : Samedi, en fin d'après-midi. C'est pour le dîner.

Le poissonnier : C'est à quel nom ?

Mme Vignon : Vignon, V-I-G-N-O-N.

Le poissonnier : Qu'est-ce que vous préférez ? Un plateau classique à 20 € ou un plateau mélangé à 30 € ?

Mme Vignon : Quelle est la différence ?

Le poissonnier : Dans le plateau classique, vous avez seulement des coquillages : des huîtres, des moules… Dans le plateau mélangé, vous avez aussi des crustacés : des langoustines, du crabe, des crevettes…

Mme Vignon : Un plateau classique me semble très bien.

� Grammaire

Utilisation de la préposition « pour »

— C'est pour qui ?
— Pour moi, pour Michel.

— Pour quand ? Pour quel jour ?
— Pour la semaine prochaine, pour jeudi.

— Pour combien de personnes ?
— Pour six personnes.

— Pour combien de temps ?
— Pour quatre jours.

— C'est pour quoi faire ? — C'est pour jouer.
— Vous êtes pour ce projet ? — Non, je suis contre.

� Vocabulaire

- **du poisson**
  la sole, la truite, le saumon, le thon, la sardine…
  un filet (de saumon, etc.)
- **des coquillages**
  les huîtres, les moules…
- **des crustacés**
  les crevettes, les langoustines, le crabe, le homard…
- un plateau de fruits de mer
- préparer le poisson = le vider, enlever les arêtes et parfois couper la tête

Manières de dire

- Je voudrais commander…
- Est-ce que je peux commander… ?

- C'est à quel nom ?
  — Au nom de…
- Pour quel jour ? Quelle heure ?
  Pour combien de personnes ?

1 Compréhension. Vrai ou faux ?

	VRAI	FAUX
1. Madame Vignon achète du poisson.	☐	☐
2. La commande est pour samedi matin.	☐	☐
3. Madame Vignon choisit le plateau le moins cher.	☐	☐

2 Grammaire. Trouvez la question.

1. _____ ? — Pour deux personnes.

2. _____ ? — Pour la semaine prochaine.

3. _____ ? — Pour dimanche.

4. _____ ? — Pour Manon.

5. _____ ? — Pour ouvrir les huîtres.

6. _____ ? — Pour trois semaines.

3 Vocabulaire. Associez.

1. un poisson

2. des coquillages

3. des crustacés

a. des moules

b. une sole

c. du crabe

d. une truite

e. du thon

f. des huîtres

g. des crevettes

h. du saumon

4 Communication. Complétez le dialogue.

1. — Bonjour, je voudrais _____ un gâteau au chocolat, s'il vous plaît.

2. — Oui, madame, _____ ?

3. — Pour dix personnes.

4. — _____ ?

5. — Pour vendredi soir.

6. — _____ ?

7. — Au nom de Perrier.

5 À vous ! Vous voulez commander un beau gâteau d'anniversaire (6 personnes, dimanche matin). Imaginez et jouez le dialogue avec le pâtissier.

© CLE international 2013. La photocopie non autorisée est un délit.

2 Au café

Le serveur : Monsieur, **vous avez choisi** ?

Thomas : Oui, **je vais prendre** un menu à 12 €
avec une soupe à l'oignon en entrée
et une entrecôte au roquefort.

**Le serveur : Votre entrecôte, vous la voulez
comment** ?

Thomas : À point, s'il vous plaît.

Le serveur : Et **comme boisson** ?

Thomas : Un demi, s'il vous plaît, et une carafe
d'eau.

(Plus tard.)

Le serveur : Ça a été ?

Thomas : Oui, très bien.

Le serveur : Vous prenez un dessert ? Une tarte ?
Une glace ?

Thomas : Qu'est-ce que vous avez comme
glace ?

Le serveur : Vanille, fraise, café, chocolat, praliné…

Thomas : Alors, vanille-chocolat, s'il vous plaît.

Le serveur : Un café ?

Thomas : Oui, un café, et l'addition.

▬▬ Grammaire ▬▬

avoir
j'ai, tu as, il/elle a,
nous avons, vous avez, ils/elles ont
prendre
je prends, tu prends, il/elle prend,
nous prenons, vous prenez,
ils/elles prennent
aller
je vais, tu vas, il/elle va,
nous allons, vous allez, ils/elles vont

▬▬ Vocabulaire ▬▬

- **les boissons**
  un demi (= une bière), une limonade,
  une demi-bordeaux, une carafe d'eau,
  un jus de fruit, un café, un déca
  (= décaféiné), un café-crème…

- **les plats**
  un croque-monsieur, un croque-madame,
  une omelette au jambon, au fromage…,
  une assiette de crudités, une entrecôte…

- la carte, le menu, la carte des vins

- une entrée, un plat du jour, un dessert

▬▬ Manières de dire ▬▬

- Vous avez choisi ?
— Oui, je vais prendre… Oui, je voudrais…

- Et comme boisson ?
— Une carafe d'eau, s'il vous plaît.

- Ça a été ?
— Oui, c'était très bon.

- Vous prenez une entrée ?
— Oui, qu'est-ce que vous avez, comme
entrées ?

Remarque linguistique et gastronomique. Aux questions « Quelle cuisson pour votre viande ? »,
ou « Comment vous voulez votre viande ? » les Français font deux réponses : « saignant »
ou « à point ». Il est très rare de manger de la viande rouge « bien cuite ».

1 Compréhension. Vrai ou faux ?

	VRAI	FAUX
1. Thomas ne prend pas d'entrée.	☐	☐
2. Il prend un morceau de bœuf.	☐	☐
3. Il ne prend pas de vin.	☐	☐
4. Il boit de l'eau minérale.	☐	☐

2 Grammaire. Complétez au présent.

1. Qu'est-ce que vous _____ comme tartes ? *(avoir)*

2. Nous _____ un dessert. *(prendre)*

3. Je _____ prendre du vin. *(aller)*

4. Vous _____ une entrée ? *(prendre)*

5. Nous _____ des glaces, des sorbets, des tartes… *(avoir)*

6. Vous _____ au restaurant ? *(aller)*

3 Vocabulaire. Choisissez la bonne réponse.

1. Stéphane boit de la bière, un | demi | déca |.

2. Louise prend une assiette de | vins | crudités |.

3. Raphaël prend | un menu | une carte | à 10 €.

4. Je prends le | plat | dessert | du jour, le saumon aux herbes.

5. Félix mange son steak à | point | cuit |.

4 Communication. Qui parle ? Le serveur (a) ou le client (b) ?

	a	b
1. « Ça a été ? »	☐	☐
2. « Non merci. L'addition, simplement. »	☐	☐
3. « Vous avez choisi ? »	☐	☐
4. « Et comme boisson ? »	☐	☐
5. « Oui, je vais prendre un steak au poivre. »	☐	☐
6. « Vous prenez un café ? »	☐	☐
7. « Oui, très bien. »	☐	☐
8. « Une carafe d'eau. »	☐	☐

5 Communication. Remettez dans l'ordre les phrases de l'activité n° 4.

a. _____ b. _____ c. _____ d. _____ e. _____ f. _____ g. _____ h. _____

© CLE International 2013. La photocopie non autorisée est un délit.

5 Faire une réservation

1 À l'hôtel 🎧⁹

Le réceptionniste : Hôtel du Moulin, bonjour !

Le client : Bonjour, monsieur, **est-ce que vous avez une chambre libre** pour demain soir, s'il vous plaît ? Une chambre pour deux personnes.

Le réceptionniste : Vous préférez une chambre avec un grand lit ou deux petits lits ?

Le client : Avec un grand lit, s'il vous plaît.

Le réceptionniste : Alors, nous avons une chambre avec salle de bains et W.-C. à 62 €.

Le client : Le petit-déjeuner est compris ?

Le réceptionniste : Non, monsieur, le petit-déjeuner est à 8 € par personne.

Le client : Très bien. **Je prends la chambre.**

Le réceptionniste : C'est à quel nom ?

Le client : Au nom de Mercier. M-E-R-C-I-E-R.

Le réceptionniste : Vous pouvez m'envoyer un fax ou un courriel de confirmation, s'il vous plaît ?

Le client : Bien sûr, je le fais tout de suite.

▰ Grammaire

Adjectif qualificatif

un petit lit	(*masculin singulier*)
→ deux petits lits	(*masculin pluriel*)
une grande chambre	(*féminin singulier*)
→ deux grandes chambres	(*féminin pluriel*)
un beau vase	
→ une belle voiture	(*féminin irrégulier*)
un nouveau gouvernement	
→ une nouvelle idée	
de beaux vases	
→ de belles voitures	(*pluriel*)

▰ Vocabulaire

- un hôtel 3 étoiles
- une chambre simple ≠ double
- une chambre à deux lits,
  avec un grand lit,
  avec salle de bains, douche,
  W.-C. séparés...
  avec vue sur la mer,
  la montagne...
- un fax,
  un courriel de confirmation
- le petit-déjeuner est compris
- il y a de la place dans l'hôtel
  ≠ l'hôtel est complet

Manières de dire

- Est-ce que vous avez une chambre libre ?
  — Non, je suis désolé, l'hôtel est complet.
- Je voudrais réserver...

- C'est à quel nom ?
  — Au nom de...
- Je vais prendre la chambre.

1 Compréhension. Vrai ou faux ?

	VRAI	FAUX
1. Le client voudrait une chambre pour deux jours.	☐	☐
2. Il voudrait une chambre double avec un grand lit.	☐	☐
3. Le prix du petit-déjeuner n'est pas inclus.	☐	☐
4. Le client doit confirmer la réservation par écrit.	☐	☐

2 Grammaire. Complétez par l'adjectif, à la forme correcte.

1. un _____ hôtel (grand)

2. une _____ femme (joli)

3. des lits _____ (séparé)

4. des _____ restaurants (bon)

5. une _____ chambre (beau)

6. des personnes _____ (nouveau)

3 Vocabulaire. Répondez.

1. — C'est une chambre double ?

— Non, c'est une chambre _____.

2. — C'est un bon hôtel ?

— Oui, c'est un hôtel trois _____.

3. — Il y a de la place dans l'hôtel ?

— Non, l'hôtel est _____.

4. — Les W.-C. sont dans la salle de bains ?

— Non, ils sont _____.

5. — C'est une chambre à deux lits ?

— Oui, c'est une chambre _____.

4 Communication. Complétez le dialogue.

1. Est-ce que vous avez une _____ libre, pour 5 _____ du 10 au 15 mars, s'il vous plaît ?

2. — Oui, monsieur. Vous voulez une _____ simple ou _____ ?

3. — _____, s'il vous plaît, avec salle de bains et toilettes.

4. — Très bien. J'ai une _____ avec un grand lit à 85 €.

5. — Est-ce que le _____-_____ est inclus ?

5 À vous ! Vous devez faire les réservations suivantes. Imaginez et jouez les deux dialogues.

1. une chambre (2 personnes)

salle de bains et W.-C.

3 nuits

prix ?

petit-déjeuner ?

confirmation

2. 2 chambres (1 personne)

salle de bains et W.-C.

2 nuits

prix ?

petit-déjeuner ?

confirmation

© CLE International 2013. La photocopie non autorisée est un délit.

Faire les courses

2 À la gare

Le client : Bonjour, madame, **je voudrais réserver des billets de train**, s'il vous plaît.

L'employée : Oui, monsieur. Pour quelle destination ?

Le client : Eh bien, **il me faudrait un aller-retour** Paris-Lille, **avec un départ** le mercredi 15 au matin, et **un retour** le vendredi 17 au soir. **Je ne connais pas les horaires.**

L'employée : Vous avez un TGV toutes les demi-heures, entre 6 heures et 9 heures, au départ de Paris.

Le client : Un départ entre 7h30 et 8 heures, c'est parfait.

L'employée : 7h41, alors. Arrivée à Lille à 8h45. Attention, vous arrivez à Lille-Europe, pas à Lille-Flandres.

Le client : D'accord, Lille-Europe, ça me va très bien.

L'employée : Pour le retour, à partir de 15 heures, vous avez un TGV toutes les heures.

Le client : Vers 18 heures, dans ce cas.

L'employée : 18h11, arrivée à Paris-Nord à 19h47. **Première ou seconde ?**

Le client : Seconde.

L'employée : Vous avez une réduction ? « Étudiant », par exemple ?

Le client : Malheureusement non !

L'employée : Alors, ça fait 92 €. **Vos billets sont échangeables et remboursables jusqu'au départ.**

▬ Grammaire

Adjectif interrogatif « quel »

Quel jour ?	*(masculin singulier)*
Dans **quels** trains ?	*(masculin pluriel)*
Pour **quelle** destination ?	*(féminin singulier)*
Avec **quelles** personnes ?	*(féminin pluriel)*

▬ Vocabulaire

- le TGV (train à grande vitesse)
- On attend le train sur le quai.
- On doit composter le billet.
- le départ ≠ l'arrivée
- les horaires de train
- un aller simple (A → B)
- un aller-retour (A → B → A)
- une réduction (−20 %)
- en première (classe), en seconde (classe)
- remboursable ≠ non-remboursable
- échangeable ≠ non-échangeable

▬ Manières de dire ▬

- Je voudrais réserver…
- Quels sont les horaires ?
- Il me faudrait…
- Je ne connais pas les horaires.

1 Compréhension. **Vrai ou faux ?**

	VRAI	FAUX
1. Le client va à Lille pour une journée.	☐	☐
2. Il n'y a pas de train le matin.	☐	☐
3. Le client ne voyage pas en première.	☐	☐

2 Grammaire. **Demandez une précision en utilisant « quel », « quelle », « quels » ou « quelles ».**

1. Je prends le train.   — _____ train ?

2. Tu prends les billets ?   — _____ billets ?

3. Je pars demain soir.   — À _____ heure ?

4. Il rentre bientôt.   — _____ jour ?

5. Je pars avec des amies.   — _____ amies ?

6. Nous allons à la gare.   — _____ gare ?

7. Le train est entré en gare.   — Sur _____ quai ?

8. Je voudrais du fromage.   — _____ fromage ?

9. Il parle avec les clients.   — _____ clients ?

10. Elle achète des croissants dans une boulangerie.   — Dans _____ boulangerie ?

3 Vocabulaire. **Complétez.**

1. Pour ses voyages en train, le vieux monsieur a une _____ de 25 %.

2. Le train part à 14 h 02. Le _____ est à 14 h 02.

3. Le TGV arrive à 19 h 24. L'_____ est à 19 h 24.

4. Avant de monter dans le train, on doit _____ le billet qu'on a acheté.

5. On attend le train sur le _____ .

6. Le billet en _____ classe est moins cher qu'en _____ .

7. Sami est étudiant, il a une _____ sur le prix du billet.

4 Communication. **Vous devez faire les réservations suivantes. Imaginez et jouez les deux dialogues.**

1. 2 allers-retours
Lyon-Dijon
départ vers 7 heures
retour un jour après, vers 21 heures
2e classe
réduction « étudiant »

2. 1 aller-retour
Paris-Bruxelles
départ vers 6 heures
retour le même jour, vers 19 heures
1re classe
échangeable et remboursable

© CLE International 2013. La photocopie non autorisée est un délit.

6 Faire des achats

1 Dans une boutique de vêtements

La vendeuse : Bonjour, madame, je peux vous aider ?

Patricia : Non merci, je regarde. *(Un peu plus tard.)* **Est-ce que je peux essayer** cette jupe, s'il vous plaît ?

La vendeuse : Oui, madame, les cabines sont au fond. *(Quelques minutes après.)* Alors, ça va ?

Patricia : Non, pas vraiment, **c'est trop court.**

La vendeuse : Vous voulez essayer une taille au-dessus ?

Patricia : Oui, peut-être. Normalement, **je fais du 38**, mais apparemment ce n'est pas assez grand.

La vendeuse : Je vous apporte un 40. *(Quelques minutes plus tard.)* Alors, c'est mieux ?

Patricia : Oui, **je pense que ça va.**

La vendeuse : Oui, ça va bien, c'est assez long comme ça. **La couleur vous va très bien.** Est-ce que vous voulez essayer un haut **pour aller avec** ?

Patricia : Euh… non merci, ça suffit pour aujourd'hui !

▬ Grammaire

« Trop », « assez »

- ■ **« Trop » + adjectif**
  trop petit, trop grand, trop cher

- ■ **« Trop de » + nom**
  trop de travail, trop de voitures

- ■ **« Assez » + adjectif**
  assez petit, assez grand, assez joli

- ■ **« Assez de » + nom**
  assez de travail, assez de papiers

▬ Vocabulaire

- • **les vêtements**
  une jupe, un pantalon, une chemise,
  un « haut », une robe, une veste, un manteau,
  un pull, un costume *(pour hommes)*,
  un tailleur, un ensemble *(pour femmes)*

- • **la boutique**
  une boutique de vêtements, une vendeuse,
  un vendeur, une cabine d'essayage

- • essayer un vêtement

Manières de dire

- • Ça va ?
- — Oui, je pense que ça va.
- • Cette couleur vous va bien.
- — Non, ça ne me va pas !

- • Je cherche une chemise pour aller avec ce pantalon.
- • Quelle taille faites-vous ?
  — Je fais du 38.

Remarque de vocabulaire. « Assez » a deux significations principales : « la maison est assez grande pour nous » (= suffisamment) ; « la maison est assez jolie » (= elle n'est pas <u>très</u> jolie).

1 Compréhension. Vrai ou faux ?

	VRAI	FAUX
1. Patricia veut essayer un ensemble.	☐	☐
2. La première jupe est trop petite.	☐	☐
3. La vendeuse ne trouve pas la jupe en taille 40.	☐	☐
4. Patricia achète seulement une jupe.	☐	☐

2 Grammaire. Complétez par « assez (de) » ou « trop (de) ».

1. Tu as du travail ?   — Oh oui, j'ai vraiment _____ travail, c'est fatigant !

2. Le pantalon te va ?   — Non, il est _____ petit.

3. La veste vous va ?   — Oui, elle est _____ longue.

4. Tu vas acheter des vêtements à ta fille ?   — Non, elle a _____ vêtements pour la saison.

5. Il va acheter ce costume ?   — Non, c'est vraiment _____ cher.

3 Vocabulaire. Choisissez la bonne réponse.

1. Barbara achète un | pantalon | costume | .

2. Je voudrais un haut pour | faire | aller | avec ce pantalon.

3. Où sont les | cabines | cabinets | d'essayage ?

4. Quelle taille | avez | faites |-vous ?

5. Il fait froid, Agathe met son | manteau | vêtement | .

4 Vocabulaire. Complétez les légendes.

1. _____   **3.** _____   **5.** _____   **7.** _____

2. _____   **4.** _____   **6.** _____   **8.** _____

5 À vous ! Vous êtes dans une boutique de vêtements. Vous voulez essayer un pantalon. La vendeuse vous demande votre taille. Vous répondez et vous essayez. C'est trop grand. Vous demandez la taille au-dessous. La taille va bien. Imaginez et jouez le dialogue.

© CLE International 2013. La photocopie non autorisée est un délit.

Faire les courses

2 Dans un magasin de chaussures

La cliente : **Est-ce que je peux essayer les sandales qui sont dans la vitrine** ?
La vendeuse : Oui, madame, **quelle pointure faites-vous** ?
La cliente : **Je fais du** 38.
La vendeuse : Voilà. *(Quelques minutes plus tard.)* Alors, ça va ?
La cliente : Non, c'est trop petit. **Est-ce que vous avez le même modèle en** 39 ?
La vendeuse : Non, désolée, mais j'ai un autre modèle **dans le même style**. Vous voulez l'essayer ?
La cliente : Oui, pourquoi pas ? *(Quelques minutes plus tard.)*
La vendeuse : Alors, ça vous plaît ?
La cliente : Non, pas vraiment.
Je vous remercie, je vais réfléchir…

Grammaire

« Dans, sur »

■ **Utilisation de la préposition « dans »**
dans la boutique, dans le sac
dans la vitrine
dans ma taille, dans ma pointure
dans le même style
dans la rue

■ **Utilisation de « sur »**
sur la table, sur la chaise
sur la route, sur l'autoroute, sur le boulevard
sur le plan, sur la photo

Vocabulaire

- un magasin de chaussures
- une paire de chaussures…
  à talons hauts ≠ à talons plats
- des sandales
- des bottes
- des mocassins
- des chaussures de sport :
  des tennis, des baskets
- un modèle
- la pointure

Manières de dire

- Est-ce que je peux essayer… ?
- Je voudrais essayer…
- Est-ce que vous avez ce modèle en… ?
- Quelle pointure faites-vous ? — Je fais du…
- Est-ce que ce modèle existe dans ma pointure ?
- Est-ce que vous avez un autre modèle dans le même style ?

Remarque de vocabulaire. L'expression « Je vais réfléchir. » signifie poliment qu'on ne veut pas acheter maintenant.

1 Compréhension. Vrai ou faux ?

	VRAI	FAUX
1. La cliente achète des chaussures d'été.	☐	☐
2. La première paire ne va pas.	☐	☐
3. La cliente achète une paire de sandales.	☐	☐

2 Grammaire. Complétez par « dans » ou « sur ».

1. Les chaussures sont _____ la vitrine.

2. Il a posé le livre _____ la table.

3. Est-ce que vous avez ce modèle _____ ma pointure ?

4. J'ai mis un manteau _____ ma veste, parce qu'il fait froid.

5. J'ai trouvé ce pull _____ une petite boutique à côté de chez moi.

6. Il a mis les stylos _____ son sac.

7. Est-ce que vous avez des sandales _____ le même style ?

8. Elle aime bien les chaussures qui sont _____ la photo.

9. Nous sommes _____ l'autoroute A4.

10. Le restaurant est _____ la rue Mermoz.

3 Vocabulaire. Complétez par le nom approprié.

1. Guillaume va courir, il met des _____.

2. À la plage, Valérie porte des _____.

3. Il pleut, il fait froid, Colette met des _____.

4. Comme Claire est très grande, elle porte des chaussures à _____ plats.

5. Renaud porte des _____ quand il est au travail.

6. Marion achète une _____ de chaussures.

4 Communication. Complétez le dialogue.

1. Est-ce que je peux _____ les chaussures marron qui sont dans la _____ ?

2. — Oui, monsieur. Quelle _____ faites-vous ?

3. — Je _____ du 41.

4. — Désolé, je n'ai pas ce _____ dans votre pointure, mais j'ai un autre _____

dans le même _____. Vous voulez l'_____ ?

5 À vous ! Vous voulez essayer des chaussures. Le vendeur vous demande votre pointure. Vous la donnez. Vous essayez les chaussures, mais vous ne les achetez pas. Imaginez et jouez le dialogue.

Hésiter

Faire les courses

Au magasin d'informatique

L'employé : Bonjour, monsieur, je peux vous aider ?

Antoine : Oui, il me faut un ordinateur portable, mais **je ne sais pas vraiment lequel choisir…**

L'employé : D'abord, ça dépend du prix que vous voulez mettre.

Antoine : Je ne sais pas trop…

L'employé : C'est pour quel usage ? Professionnel ? Personnel ?

Antoine : Un peu les deux, mais plutôt personnel. Je me sers beaucoup d'Internet, je stocke aussi des photos, je crée des documents sur Powerpoint ou sur Excel…

L'employé : Je crois que ces deux modèles peuvent convenir… Vous voyez, ils sont tout nouveaux, avec une mémoire énorme. Celui-ci est un peu plus cher, parce qu'il a plus de fonctionnalités que l'autre.

Antoine : J'hésite un peu…

L'employé : Je vous conseille celui-là, c'est un modèle qui marche très bien ! Je sais que tous nos clients en sont satisfaits.

Antoine : Vous croyez ? Je ne suis pas sûr… Bon, **je vais réfléchir.**

L'employé : Comme vous voulez. Vous pouvez retrouver tous les détails sur notre site Internet.

Vocabulaire

- un ordinateur (portable ou non)
- une clé USB
- des données (par exemple, un dossier avec des fichiers Word)
- un écran
- un clavier avec des touches
- une souris (sans fil)
- les fonctionnalités d'un ordinateur
- consulter un site Internet / être sur Internet
- utiliser un logiciel (Powerpoint, Excel…)

Grammaire

savoir
je sais, tu sais, il sait,
nous savons, vous savez, ils savent
croire
je crois, tu crois, il croit,
nous croyons, vous croyez, ils croient
vouloir
je veux, tu veux, il veut,
nous voulons, vous voulez, ils veulent

Manières de dire

- Je ne sais pas (vraiment)…
- Je ne sais pas trop…
- Je ne suis pas sûr(e) / certain(e)…

- Peut-être… Probablement…
- J'hésite un peu…
- Vous croyez (vraiment) ? Tu crois ?

1 Compréhension. **Vrai ou faux ?**

	VRAI	FAUX
1. Antoine n'est pas un grand spécialiste d'informatique.	☐	☐
2. Il ne sait pas exactement quel prix il veut mettre.	☐	☐
3. Il n'utilise jamais son ordinateur pour le travail.	☐	☐
4. Il consulte beaucoup Internet.	☐	☐
5. Antoine n'achète pas d'ordinateur aujourd'hui.	☐	☐

2 Grammaire. **Complétez par « savoir », « croire » ou « vouloir » au présent.**

1. Je ne _____ pas quoi choisir.

2. Fanny va adorer ce nouvel ordinateur. — Tu _____ ?

3. Qu'est-ce que tu _____ acheter ?

4. Vous _____ utiliser ce logiciel ? — Non, je ne _____ pas encore, mais je vais apprendre bientôt.

5. Vous _____ que je peux utiliser cette clé ?

6. — Oui, je ne suis pas sûr, mais je _____ que c'est possible.

7. Elle ne _____ pas acheter d'ordinateur aujourd'hui.

8. Il ne _____ pas combien il veut mettre, pour cet ordinateur.

3 Vocabulaire. **Complétez.**

1. Word est un _____ qui permet d'écrire des documents.

2. Je mets mes _____ sur une _____ USB.

3. Pour notre travail, nous consultons beaucoup de _____ Internet.

4. Tous mes _____ « Word » sont dans des dossiers.

5. L'ordinateur (et le piano !) ont un _____ avec des _____.

4 Communication. **Répondez librement aux questions, mais avec hésitation !**

1. De quel(s) logiciel(s) est-ce que vous avez besoin ?

2. Est-ce que vous allez stocker beaucoup de photos ?

3. Est-ce que Bérengère sait utiliser ce logiciel ?

4. Où est-ce que je peux acheter un nouveau clavier de cette marque ?

5. Vous croyez que je peux trouver ces renseignements sur Internet ?

5 À vous ! **Vous voulez acheter un appareil photo. Vous hésitez devant plusieurs modèles. Le vendeur vous conseille le modèle le plus cher. Vous n'achetez pas d'appareil aujourd'hui. Imaginez et jouez le dialogue.**

8 Prendre rendez-vous

1 Chez le dentiste

La secrétaire : Cabinet dentaire, bonjour.

Monsieur Collet : Bonjour, madame, **je voudrais prendre rendez-vous avec** le docteur Fournier, s'il vous plaît.

La secrétaire : Oui, monsieur, **quand voulez-vous venir** ?

M. Collet : Le plus tôt possible.

La secrétaire : Alors… aujourd'hui, à 15 h 45, **cela vous convient** ?

M. Collet : Ce n'est pas possible un peu plus tard ?

La secrétaire : Pas aujourd'hui, **c'est complet**. Sinon, lundi, à 18 h 30.

M. Collet : Oui, c'est mieux lundi soir.

La secrétaire : Vous êtes monsieur ?

M. Collet : Collet, C-O-L-L-E-T.

La secrétaire : Vous avez un dossier chez nous ?

M. Collet : Non, **c'est la première fois que je viens**.

Grammaire

Le superlatif

■ **Avec un adverbe**

le plus tôt possible, le plus vite possible

■ **Avec un adjectif masculin**

C'est le livre le plus intéressant.
Il est le moins connu.
Ce sont les moins grands.

■ **Avec un adjectif féminin**

C'est la pièce la moins grande.
Ce sont les moins grandes, les plus intéressantes.

Vocabulaire

- Le patient a mal aux dents / à une dent.
- Il a une carie.
- Le dentiste soigne les dents du patient.
- Il arrache une dent.
- Il met/pose une couronne.
- On se brosse/lave les dents avec une brosse et du dentifrice.

Manières de dire

- Je voudrais prendre rendez-vous avec…

- Vous avez un dossier ?
— Oui, je suis un patient du docteur Blanche.
— Non, c'est la première fois que je viens.

- Mardi, ça vous convient ?

— Oui, ça me convient./Oui, c'est très bien.
— Non, ça ne me convient pas.
— Non, mardi, ce n'est pas possible.

- Le plus tôt possible, s'il vous plaît.

1 Compréhension. **Vrai ou faux ?**

	VRAI	FAUX
1. M. Collet a la grippe.	☐	☐
2. Le rendez-vous est urgent.	☐	☐
3. Le docteur n'est pas libre ce soir.	☐	☐
4. M. Collet est un patient du docteur Fournier.	☐	☐

2 Grammaire. **Complétez par « le/la/les plus » ou « le/la/les moins ».**

1. J'arrive ——————— tôt possible.

2. Tu es ——————— belle !

3. J'ai trouvé un billet d'avion vraiment pas cher. En fait, c'était ——————— cher possible.

4. Quelle chambre est-ce que vous prenez ? ——————— petite est aussi ——————— chère

et ——————— grande est bien sûr ——————— chère.

3 Vocabulaire. **Complétez.**

1. — Ouïe… J'ai ——————— aux dents !

2. — Alors, tu dois aller chez le ———————.

3. Le dentiste va ——————— la dent malade, puis mettre une ———————.

4. Va te ——————— les dents !

5. J'ai une belle ——————— à ——————— neuve, mais je n'ai plus de

——————— !

4 Communication. **Choisissez la bonne réponse.**

1. — Je voudrais ☐ faire ☐ prendre un rendez-vous, s'il vous plaît.

2. — Oui, quand voulez-vous ☐ venir ☐ arriver ?

3. — Le plus ☐ avant ☐ tôt possible !

4. — Demain, à 10 h 30, cela vous ☐ vient ☐ convient ?

5. — Vous avez un ☐ dossier ☐ patient chez nous ?

6. — Non, c'est la première fois que je ☐ mets ☐ viens.

5 À vous ! **Vous devez prendre les rendez-vous suivants. Imaginez et jouez les dialogues.**

1. Avec votre médecin habituel – jeudi si possible – pas le matin.

2. Avec un nouveau médecin – pas urgent – le mardi est impossible.

2 Au cabinet médical

La secrétaire : Cabinet du docteur Vignon, bonjour.

Madame Gibert : Bonjour, madame, **je voudrais changer l'heure de mon rendez-vous avec** le docteur Vignon, s'il vous plaît.

La secrétaire : Oui, vous êtes madame ?

Mme Gibert : Gibert. **J'avais rendez-vous** mercredi 12 à 16 h 45, mais **j'ai un empêchement, je ne peux pas venir à cette heure-là.**

La secrétaire : Vous voulez **décommander le rendez-vous** ?

Mme Gibert : Mais non ! Je voudrais juste le **repousser.**

La secrétaire : Pour quand ?

Mme Gibert : Le même jour, si c'est possible, mais plus tard. À partir de 18 heures.

La secrétaire : 19 heures, ça vous convient ?

Mme Gibert : 19 heures, c'est parfait ! Je vous remercie !

Grammaire

L'imparfait

avoir

j'avais, tu avais, il avait,
nous avions, vous aviez, ils avaient

je n'ai pas	→ je n'avais pas
il y a	→ il y avait
il n'y a pas	→ il n'y avait pas

être

j'étais, tu étais, il était,
nous étions, vous étiez, ils étaient

| c'est | → c'était |
| ce n'est pas | → ce n'était pas |

Vocabulaire

- J'ai un empêchement.
- Même jour, même heure.
- un autre jour
- être à l'heure
- être en retard ≠ être en avance
- changer = modifier
- repousser = reporter = remettre
- annuler = décommander

Manières de dire

- Je voudrais changer l'heure de mon rendez-vous, de ma réservation.
- J'avais un rendez-vous à… J'avais une réservation pour vendredi…
- Je voudrais reporter = repousser = remettre mon rendez-vous.
- Je voudrais décommander = annuler mon rendez-vous.
- J'ai un empêchement, je ne peux pas venir, je suis désolé(e).

1 Compréhension. Vrai ou faux ?

	VRAI	FAUX
1. Mme Gibert ne peut pas venir mercredi à 16 h 45.	☐	☐
2. Elle voudrait annuler le rendez-vous.	☐	☐
3. Le prochain rendez-vous est mercredi à sept heures du soir.	☐	☐

2 Grammaire. Complétez par le verbe « avoir » ou le verbe « être » à l'imparfait.

1. Je n'——————— pas le temps.

2. C'——————— difficile.

3. Djamila ——————— en retard.

4. Nous n'——————— pas de réservation.

5. Quel jour est-ce que vous ——————— un rendez-vous ?

3 Vocabulaire. Trouvez une autre manière de dire.

1. Je voudrais *changer* l'heure de mon rendez-vous. _____

2. Denis doit *reporter* le rendez-vous. _____

3. Nous devons *annuler* la réunion. _____

4. J'ai *un problème, je ne peux pas venir.* _____

5. *Je ne suis pas du tout en avance, au contraire.* _____

4 Communication. Associez, pour constituer une phrase complète.

1. Je voudrais remettre	**a.** venir.
2. Vous aviez	**b.** l'heure de mon rendez-vous.
3. Je suis désolé, j'ai	**c.** mon rendez-vous à plus tard.
4. Je ne peux pas	**d.** rendez-vous à quelle heure ?
5. Je voudrais changer	**e.** un empêchement.

5 À vous ! **Vous devez modifier des rendez-vous. Imaginez et jouez les dialogues.**

1. Votre ancien rendez-vous : → Vous voulez…
   lundi à 17 heures   vendredi, à 17 heures

2. Votre ancien rendez-vous : → Vous voulez…
   jeudi à 9 h 45   décommander

3. Votre ancien rendez-vous : → Vous voulez…
   aujourd'hui à 16 h 30   mardi prochain, à 16 h 30

9 Demander des renseignements

1 Dans une station de métro

Stéphanie : Monsieur, **est-ce que je peux acheter** des tickets ici ?

L'employé : Bien sûr, madame. Vous voulez un carnet ?

Stéphanie : Qu'est-ce que c'est, « un carnet » ?

L'employé : 10 tickets de métro.

Stéphanie : D'accord. Un carnet, alors. Pour aller à l'Opéra-Bastille, **à quelle station est-ce que je dois descendre** ?

L'employé : Eh bien, vous devez descendre à la station « Bastille ».

Stéphanie : C'est direct ?

L'employé : Non, **vous devez changer** à « Palais-Royal ».

Stéphanie : Il n'y a pas de bus direct ?

L'employé : Si, vous avez le 69.

Stéphanie : Est-ce que je peux utiliser ce ticket ?

L'employé : Oui madame, ce sont les mêmes tickets pour le bus et pour le métro.

Grammaire

devoir
je dois, tu dois, il doit,
nous devons, vous devez, ils doivent
Où est-ce que je **dois** descendre ?
Qu'est-ce que je **dois** faire ?

pouvoir
je peux, tu peux, il peut,
nous pouvons, vous pouvez, ils peuvent
Où est-ce que je **peux** acheter des tickets ?
Est-ce que vous **pouvez** m'expliquer ?

Vocabulaire

- prendre le bus, le métro, le tramway…
- prendre le 21, le 8, la ligne 6 (métro)
- un carnet (= 10 tickets)
- une station de métro
- un arrêt de bus, de tramway
- composter = valider un ticket, un billet
- changer de bus, de métro, de train…
- changer à « Concorde »

Manières de dire

- Qu'est-ce que c'est ?
- Il y a un bus ? Un métro ? Un tramway ?
- C'est direct ?
- Est-ce que je peux… ?
- À quelle station est-ce que je dois descendre ?
- Est-ce que je dois changer ?

Remarque grammaticale. « Si ! » signifie « oui » après une question négative.
— Vous aimez la musique ?
— Oui, j'aime la musique.
— Vous n'aimez **pas** la musique ?
— **Si**, j'aime la musique !

1 Compréhension. **Vrai ou faux ?**

	VRAI	FAUX
1. Stéphanie voudrait acheter dix tickets de métro.	☐	☐
2. Le trajet est direct en métro.	☐	☐
3. Le trajet est direct en bus.	☐	☐
4. Les tickets de métro et de bus sont les mêmes.	☐	☐

2 Grammaire. **Complétez par le verbe « devoir » ou le verbe « pouvoir » selon le cas.**

1. Est-ce que je _____ changer, pour aller à « Étoile » ?

2. Où est-ce que nous _____ acheter des tickets de bus ?

3. Vous _____ m'expliquer comment ça marche ?

4. Où est-ce que nous _____ descendre, pour aller au musée d'Orsay ?

5. Est-ce que je _____ avoir un renseignement, s'il vous plaît ?

6. Vous _____ changer à la station « Saint-Michel ».

3 Vocabulaire. **Complétez.**

1. On prend le métro dans une _____ _____ _____.

2. Ce n'est pas direct, vous devez _____ à « Châtelet ».

3. J'attends le bus à l'_____ _____ _____.

4. Nous devons acheter dix _____ de métro, c'est-à-dire un _____.

5. Je dois _____ le bus pour aller à mon bureau.

6. Quand on prend le bus, on doit _____ son billet.

4 Communication. **Trouvez la question.**

1. _____ ? — Non, vous devez changer à « République ».

2. _____ ? — Ce sont 10 tickets de métro.

3. _____ ? — Vous devez descendre à la station « Louvre ».

4. _____ ? — Si, vous avez un bus direct, le 21.

5. _____ ? — Oui, vous pouvez utiliser le même ticket.

5 À vous ! **Vous êtes dans la rue. Vous voulez aller au stade. Vous demandez à une personne s'il y a un bus direct. La réponse est négative. Vous demandez s'il y a un tramway direct. La réponse est positive. Vous demandez où vous devez descendre. La personne vous répond. Imaginez et jouez le dialogue.**

2 Dans une association sportive

L'employé : Madame, **je peux vous renseigner ?**

Juliette : Bonjour, monsieur, je voudrais **des renseignements sur** votre association sportive, s'il vous plaît. **Est-ce que vous avez une brochure ?**

L'employé : Bien sûr, madame, voici une brochure avec toutes nos activités.

Juliette : Est-ce que vous avez un site Internet ?

L'employé : Mais oui, bien sûr ! C'est www.sport-ville.fr. V**ous pouvez aussi télécharger** la brochure.

Juliette : Est-ce que vous organisez des stages de tennis pendant les vacances ?

L'employé : Oui, il y a des stages d'une semaine pendant les vacances scolaires.

Juliette : Est-ce que je peux inscrire maintenant mes enfants au stage du mois de juillet ?

L'employé : Non, en fait, **les inscriptions ne sont pas encore ouvertes.**

Juliette : Je ne peux pas faire l'inscription par Internet ?

L'employé : Si, bien sûr, à partir du 1er juin. Vous pouvez télécharger le formulaire d'inscription. **Vous devez aussi joindre** un certificat médical pour chaque enfant.

Juliette : Merci, monsieur.

Vocabulaire

- une inscription
- inscrire quelqu'un à… / s'inscrire (soi-même) à… un stage, un cours, un club, une association sportive…
- un dépliant/une brochure
- un renseignement
- renseigner quelqu'un = donner des renseignements
- un site Internet
- télécharger un formulaire d'inscription

Grammaire

Quelques expressions de temps

maintenant
hier, aujourd'hui, demain
à partir de lundi, du 1er septembre, du mois de mai…
pendant les vacances, l'été
en juillet, au mois de juillet
le stage du mois de juillet
un stage d'une semaine, de trois jours, d'été…

Manières de dire

- Je voudrais des renseignements sur…
- Est-ce que je peux avoir des renseignements sur… ?
- Est-ce que vous avez une brochure, un dépliant ?
- Est-ce qu'il y a… ?
- Est-ce que je peux inscrire mes enfants à… ?
- Est-ce que je peux m'inscrire (moi-même) à… ?

Remarque de vocabulaire. À l'expression « Je peux vous renseigner ? », on peut répondre « Oui, s'il vous plaît, je voudrais des renseignements sur… » ou, au contraire « Non merci, je regarde, simplement. »

1 Compréhension. **Vrai ou faux ?**

	VRAI	FAUX
1. L'employé ne donne pas de brochure.	☐	☐
2. Il y a des cours de tennis pendant les vacances scolaires.	☐	☐
3. Juliette est arrivée trop tard pour inscrire ses enfants.	☐	☐

2 Grammaire. **Complétez par une expression de temps.**

1. _____, nous sommes le 15 juin. _____, c'était le 14
et _____, ce sera le 16 juin.

2. Mes enfants vont suivre un stage de ski _____ les vacances de Noël.

3. Je fais un stage de yoga _____ trois jours.

4. Les inscriptions sont ouvertes ____ _____ du 3 janvier.

5. Mon ami travaille _____ mois d'août, mais il part en vacances
_____ septembre.

3 Vocabulaire. **Choisissez la bonne réponse.**

1. Il lit un | dépliant | renseignement | à propos du club de gym.

2. Je voudrais | m'inscrire | inscrire | mon fils à un cours de judo.

3. Quand commencent les | inscriptions | renseignements | ?

4. Est-ce qu'il y a des | stages | brochures | pendant les vacances ?

5. Il y a deux | inscriptions | associations | sportives dans ma ville.

4 Communication. **Qui parle ? L'employé qui donne des renseignements (a) ou un client (b) ?**

	a	b
1. « Est-ce que je peux m'inscrire ? »	☐	☐
2. « Je peux vous renseigner ? »	☐	☐
3. « Voici une brochure. »	☐	☐
4. « Est-ce que je peux avoir des renseignements ? »	☐	☐
5. « Est-ce que vous avez un site Internet ? »	☐	☐
6. « Les inscriptions ne sont pas ouvertes. »	☐	☐
7. « Est-ce que vous avez une brochure ? »	☐	☐

5 À vous ! **Vous demandez des renseignements sur les sujets suivants. Imaginez et jouez les dialogues.**

1. Cours de théâtre pour des adultes.

2. Stage de ski pour une semaine.

© CLE International 2013. La photocopie non autorisée est un délit.

3 À l'office du tourisme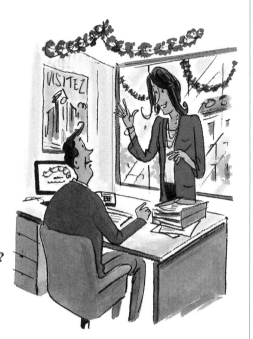

Madame Collet : C'est le 14 Juillet, demain.
Qu'est-ce qui se passe, dans la ville ?

Renaud : Il y a un défilé qui commence
vers 18 heures.

**Mme Collet : Le défilé part d'où ? Par où est-ce
qu'il passe** ?

Renaud : Il passe par les grandes avenues
de la ville. Le point de départ est place
Colbert et le point d'arrivée est devant
le château. Ensuite, il y a un feu d'artifice,
bien sûr.

**Mme Collet : À quelle heure est-ce que le feu
d'artifice commence** ?

Renaud : Quand la nuit tombe, vers 23 heures.

Mme Collet : D'où est-ce qu'on le voit le mieux ?

Renaud : Je vous conseille d'aller devant
le château, je pense que vous aurez une
bonne vue.

Mme Collet : Il n'y a pas de bal ?

Renaud : Mais si, bien sûr, il y a un grand bal
sur la place de la Mairie.

Grammaire

La question complexe

■ **Avec « est-ce que »**
Par où est-ce qu'on doit passer ?
À quelle heure est-ce que ça commence ?
D'où est-ce que vous venez ?
À partir de quel âge est-ce qu'on peut participer ?
Avec qui est-ce que tu vas au bal ?
Qu'est-ce qui se passe ?

■ **Sous une forme familière**
Le défilé part d'où ?
Ça finit à quelle heure ?
C'est ouvert jusqu'à quelle heure ?

Vocabulaire

- le 14 Juillet
- le défilé militaire
- les drapeaux
- voir le feu d'artifice
- le bal
- s'amuser
- aller danser

Manières de dire

- Qu'est-ce qui se passe ?
- À quelle heure est-ce que ça commence ?
- Par où est-ce qu'il passe ?
- D'où est-ce qu'on le voit le mieux ?
- Il n'y a pas de… ?

Remarque culturelle. La fête nationale française s'appelle tout simplement « le 14 Juillet ».

1 Compréhension. **Vrai ou faux ?**

	VRAI	FAUX
1. La conversation se passe le 14 Juillet.	☐	☐
2. Le défilé commence quand la nuit tombe.	☐	☐
3. On voit bien le feu d'artifice devant le château.	☐	☐

2 Grammaire. **Transformez les questions sous une forme familière, puis répondez librement.**

1. À quelle heure est-ce que le bal commence ? _____

2. Par où est-ce qu'on doit passer ? _____

3. Jusqu'à quelle heure est-ce que le musée est ouvert ? _____

4. D'où est-ce que vous venez ? _____

5. Dans quelle région est-ce que tu habites ? _____

6. À partir de quel âge est-ce qu'on doit aller à l'école ? _____

3 Grammaire. **Trouvez la question. (Utilisez les deux structures possibles, normale et familière).**

1. _____ ? — Ça finit à 22 heures.

2. _____ ? — Elle vient de Biarritz.

3. _____ ? — Tu dois passer par la rue Molière.

4. _____ ? — Le musée est ouvert jusqu'à 18 heures.

5. _____ ? — Nous partons avec des amis.

4 Vocabulaire. **Complétez les légendes.**

1. _____

2. _____

3. _____

5 À vous ! **Vous demandez des renseignements à propos du carnaval : défilé (heure, point de départ, point d'arrivée) ? bonne situation pour le voir ? bal (heure, lieu) ? Préparez les questions que vous voulez poser.**

© CLE International 2013. La photocopie non autorisée est un délit.

10 Exprimer une obligation

Renseigner, se renseigner

Dans une administration

Nicolas : Bonjour, madame, je voudrais un renseignement, s'il vous plaît. **Qu'est-ce que je dois faire pour obtenir** un visa pour le Canada ?

L'employée : Vous devez aller à l'ambassade du Canada avec les papiers nécessaires.

Nicolas : Et **quels papiers est-ce que je dois apporter** ?

L'employée : Je ne sais pas, vous devez téléphoner à l'ambassade.

Nicolas : Est-ce qu'**il faut un visa pour** aller du Canada aux États-Unis ?

L'employée : Je ne crois pas, mais vous devez demander à l'ambassade.

Grammaire

Utilisation de la préposition « à »

aller	à Paris, à Naples	*(à + ville)*
arriver	à l'ambassade	*(à l' + voyelle ou « h »)*
dîner	au restaurant	*(au + nom masculin)*
venir	à la poste	*(à la + nom féminin)*
commencer	à…	*+ infinitif*
arriver	à…	*+ infinitif*
demander	à quelqu'un	→ Je demande à mon ami.
téléphoner	à quelqu'un	→ Il téléphone à sa femme.
parler	à quelqu'un	→ Elle parle à ses voisins.

Vocabulaire

- une ambassade, un consulat
- une administration, un bureau
- un passeport, un visa
- un papier (administratif)
- un document
- faire la queue devant un guichet
- la bureaucratie

Manières de dire

- Le verbe « devoir » + infinitif : obligation personnelle
  Qu'est-ce que **je** dois faire ?
  Vous devez aller à la mairie.
  Tu dois préparer tes valises.

- Il faut + nom : obligation impersonnelle.
  Il faut un visa. Il faut une carte de séjour. *(C'est la même chose pour tout le monde.)*

- Il faut + infinitif
  Il faut bien parler français pour être étudiant à l'université en France.
  Il faut prendre une assurance pour la voiture.
  (C'est la même chose pour tout le monde.)

1 Compréhension. Vrai ou faux ?

	VRAI	FAUX
1. Nicolas voudrait un nouveau passeport.	☐	☐
2. L'employée travaille à l'ambassade du Canada.	☐	☐
3. Un visa est obligatoire pour aller du Canada aux États-Unis.	☐	☐

2 Grammaire. Complétez par « à » (« à la/à l'/au/aux »).

1. Nous dînons —————— maison.

2. Il arrive —————— Lyon.

3. Elle commence —————— comprendre.

4. Je vais —————— cinéma.

5. Ils partent —————— États-Unis.

6. Elle va —————— aéroport.

7. Nous téléphonons —————— banque.

8. Tu parles —————— employés.

3 Vocabulaire. Vrai ou faux ?

	VRAI	FAUX
1. Un guichet est un document.	☐	☐
2. Un visa est nécessaire pour aller dans certains pays.	☐	☐
3. On peut obtenir un visa dans une ambassade.	☐	☐
4. Un consulat est un bureau.	☐	☐
5. Le passeport est une administration.	☐	☐

4 Communication et grammaire. Complétez par une expression d'obligation.

1. Je —————— aller au consulat de France pour obtenir mon visa.

2. —————— un passeport pour aller en Grèce ?

3. Nous —————— demander un visa.

4. —————— une assurance pour pouvoir conduire une voiture.

5. —————— payer ses impôts.

6. Je —————— apporter tous les documents nécessaires.

7. —————— aller à l'école à partir de 6 ans.

8. Vous —————— faire la queue.

5 À vous ! Répondez librement aux questions, en employant des expressions de l'obligation.

1. Qu'est-ce que vous devez faire, aujourd'hui ?

2. Dans votre pays, comment est-ce qu'on fait pour obtenir une adresse électronique ?

3. Qu'est-ce qu'il faut faire, pour bien apprendre le français ?

4. Qu'est-ce qu'il faut faire, pour protéger l'environnement ?

5. Quels papiers est-ce qu'il faut pour s'inscrire à l'université ?

© CLE International 2013. La photocopie non autorisée est un délit.

11 · Autoriser et interdire

Renseigner, se renseigner

■ Dans une station de ski 🎧20

Virginie : Avec cette carte, **est-ce que nous pouvons** prendre ces remontées mécaniques ?

L'employé : Oui, bien sûr. **Ce forfait vous permet de** prendre toutes les remontées de la station.

Virginie : Est-ce qu'il y a des risques d'avalanche ?

L'employé : Oui, et **il est strictement interdit de** faire du ski hors-piste. C'est dangereux.

Bastien : Maman, **est-ce que je peux** prendre la piste noire ?

Virginie : Non, mon chéri, **pas question**, elle est trop difficile pour toi. **Tu peux** prendre la rouge, si tu veux, avec nous.

Bastien : Est-ce que c'est* autorisé de faire de la luge sur la piste verte ?

L'employé : Oui, regarde, tu peux faire de la luge sur la piste, là !

▸ Grammaire

« C'est », « il est »

■ « C'est » + adjectif

C'est interdit. C'est possible.
Ce n'est pas facile. Ce n'est pas autorisé.

■ « Il est » + adjectif + de + infinitif

Il est interdit **de** photographier.
Il est important **d'**avoir un équipement adapté.
C'est* interdit **de** stationner ici. *(Forme incorrecte, mais très courante !)*

▸ Vocabulaire

- les sports d'hiver
- une station de ski
- faire du ski, du ski de fond, de la luge
- prendre les remontées mécaniques
- la neige est bonne
- un risque d'avalanche, une avalanche
- une piste bleue, rouge, noire…
- faire du ski = skier
- hors-piste (à l'extérieur des pistes)
- un forfait, une carte, un abonnement

Manières de dire

- Est-ce que je peux… ?
- Est-ce que nous pouvons… ?
- Est-ce que c'est* autorisé de… ?
- Est-ce qu'il est autorisé de… ?

> — Oui, tu peux… Oui, vous pouvez…
> — Oui, cela vous permet de…
> — Non, tu ne peux pas. Non, vous ne pouvez pas.
> — Non, c'est interdit.
> — Non, il est (strictement) interdit de…
> — Non, pas question.

1 Compréhension. **Vrai ou faux ?**

	VRAI	FAUX
1. La carte permet de prendre toutes les remontées mécaniques.	☐	☐
2. Il n'y a pas de risque d'avalanche aujourd'hui.	☐	☐
3. La piste noire est plus difficile que la rouge.	☐	☐
4. Bastien ne fait pas de ski.	☐	☐

2 Grammaire. **Complétez par « c'est » ou « il est ».**

1. _____ difficile !

2. _____ important.

3. _____ interdit de prendre cette piste aujourd'hui.

4. _____ important de comprendre la question.

5. _____ autorisé.

6. _____ agréable de faire du ski de fond.

7. _____ interdit.

8. _____ possible de prendre un abonnement.

3 Vocabulaire. **Devinette. De quoi parle-t-on ?**

1. Ce sont les équipements qui permettent de monter en haut des pistes. → _____

2. C'est une énorme quantité de neige qui descend le long de la montagne. → _____

3. C'est l'endroit où l'on peut faire du ski quand on est un excellent skieur. → _____

4. Cette activité est interdite parce qu'elle peut être dangereuse. → _____

5. Les enfants aiment beaucoup cet objet qui permet de glisser sur la neige. → _____

6. C'est le nom des sports tels que luge, ski, ski de fond… → _____

7. C'est le document nécessaire pour pouvoir prendre les remontées mécaniques. → _____

4 Communication. **Répondez en interdisant ou en autorisant, selon le cas. Utilisez une structure différente pour chaque phrase.**

1. Maman, est-ce que je peux faire de la luge ? — Oui, _____

2. Nous pouvons faire du ski hors-piste ? — Non, monsieur, _____

3. Nous pouvons prendre ces remontées mécaniques ? — Oui, madame, _____

4. Papa, je peux faire de la luge sur la piste noire ? — Non, _____

5. Il est autorisé de prendre cette piste ? — Oui, _____

5 À vous ! **Vous êtes à la bibliothèque universitaire. Vous posez des questions pour savoir ce qu'il est possible / autorisé / interdit de faire. Imaginez et jouez le dialogue avec un(e) employé(e).**

© CLE International 2013. La photocopie non autorisée est un délit.

12

Vérifier

Dans une station balnéaire 🎧 21

Valérie : Sophie, **tu as pris** ton maillot de bain ?

Sophie : Oui, maman !

Valérie : Il y a bien une piscine pour les enfants ?

Bertrand : Oui, regarde, elle est là-bas.

Valérie : Le club organise bien des cours de natation, **non** ?

Bertrand : Mais oui, j'ai vu l'annonce dans l'hôtel !

Valérie : Tu es sûr que Sophie veut apprendre à nager ?

Sophie : Maman, mais oui ! Je veux apprendre à nager !

Grammaire

Le complément de nom

un cours **de** natation
un professeur **de** mathématiques
des chaussures **de** sport

une cuiller **à** café
un bateau **à** moteur

Vocabulaire

- une station balnéaire
- nager → la natation
- aller à la plage, à la piscine
- un moniteur de natation
- un maillot de bain
- une bouée
- une planche à voile
- les vagues sur la mer

Manières de dire

- L'adverbe « bien » est l'expression-clé pour vérifier :
  Vous êtes **bien** le moniteur de natation ? Vous êtes **bien** Micheline Moreau ?
  Il y a **bien** une piscine ? Yasmina travaille **bien** ici ?

- Autres structures :
  Vous êtes sûr que… ? Tu es sûr que… ?

- Ou, tout simplement, une question (avec une intonation de vérification) :
  Tu as pris ton maillot ? Vous avez votre téléphone mobile ?

Remarque de vocabulaire. Comme réponse, l'adverbe « bien » signifie une confirmation : « Oui, je suis **bien** le professeur de français. » Voici par exemple une annonce typique sur un répondeur téléphonique :
« Vous êtes **bien** chez François et Mireille… »

1 Compréhension. Vrai ou faux ?

	VRAI	FAUX
1. Sophie a pris son maillot de bain.	☐	☐
2. On peut apprendre à nager dans ce club.	☐	☐
3. Sophie ne veut pas prendre de cours de natation.	☐	☐

2 Grammaire. Comment appelle-t-on...

1. un moniteur qui apprend à faire du ski ? → _____

2. un bateau qui a une voile ? → _____

3. un cours qui permet d'apprendre le français ? → _____

4. une cuiller qui permet de manger de la soupe ? → _____

5. un couteau qui permet de couper le pain ? → _____

6. une station où l'on peut faire du ski ? → _____

7. un professeur qui enseigne l'histoire ? → _____

3 Vocabulaire. Complétez.

1. Raphaël apprend à nager à ma fille, c'est le _____ ____ _____.

2. Il met son _____ ____ _____ pour aller nager.

3. Pour être en sécurité dans l'eau, le petit garçon doit mettre une _____.

4. Chantal habite en ville et adore nager, elle va à la _____ trois fois par semaine.

5. Elle aime nager, elle fait de la _____.

6. Quand il y a du vent, il est agréable de faire de la _____ ____ _____.

7. En été, nous allons à la _____, au bord de la Méditerranée.

4 Communication. Posez une question exprimant la vérification.

1. _____ ? — Oui, il y a bien une piscine.

2. _____ ? — Oui, je suis le moniteur.

3. _____ ? — Oui, maman, j'ai mon maillot !

4. _____ ? — Oui, Étienne travaille ici.

5. _____ ? — Oui, je suis sûr que la piscine est ouverte !

5 À vous ! Vous êtes dans un club de vacances. Vous vérifiez que certains services existent (club pour les petits, cours de yoga, animation le soir, club de théâtre pour les enfants...). Préparez les questions.

6 À vous ! Vous partez en vacances. Vous vérifiez que vous avez bien pris tout ce qui est nécessaire. Vous pouvez parler pour vous-même ou faire un dialogue avec un enfant, un ami...

© CLE International 2013. La photocopie non autorisée est un délit.

Protester

Renseigner, se renseigner

Au camping

Mme Jourdain : Excusez-moi, mais vous annoncez dans votre publicité « camping ombragé ». Où est l'ombre ?

L'employé : Euh, oui, nous avons eu un problème avec les arbres…

M. Lopez : Ce n'est pas normal : vous dites « camping avec vue sur la mer ». On ne voit pas la mer, qui est à 10 minutes en voiture, **c'est scandaleux** !

L'employé : Je vais en parler au directeur…

Mme Moreau : Où est-ce qu'on peut prendre une douche ?

L'employé : Les douches sont là-bas, madame !

Mme Moreau : Vous plaisantez ! La moitié des douches sont fermées, je ne vais pas faire la queue pendant une demi-heure en plein soleil !

L'employé : Je vais demander à un technicien de venir…

Grammaire

Le futur proche

■ **« Aller » + infinitif**

Je vais demander à mon chef.

Nous allons téléphoner à nos amis.

Vous n'allez pas partir.

Il ne va rien comprendre !

Ce temps exprime une intention, un futur relativement certain. Comparez :

— Nous allons partir en vacances. *(c'est décidé)*

— Nous partirons en vacances. *(peut-être, si c'est possible)*

Vocabulaire

• faire du camping

• une tente,
une caravane

• planter la tente
= monter la tente

• un camping ***
(« trois étoiles »)

• dormir dans un sac
de couchage

Manières de dire

Dans la protestation, l'intonation est fondamentale.

• Pardon ? !

• Quoi ? !*

• Excusez-moi *(ironique)*, mais…

• Ce n'est pas normal !

• Ce n'est pas possible !

• Vous plaisantez !

• C'est scandaleux !

1 Compréhension. Vrai ou faux ?

	VRAI	FAUX
1. Le camping est en plein soleil.	☐	☐
2. Le camping donne sur la mer.	☐	☐
3. Aucune douche ne marche.	☐	☐

2 Grammaire. **Mettez les phrases au futur proche.**

1. J'ai demandé à l'employé. → _____

2. Ils ont pris une décision. → _____

3. Tu es allé à la plage ? → _____

4. Elle est venue avec vous ? → _____

5. Nous ne sommes pas partis tôt. → _____

6. Vous avez fait du camping ? → _____

7. Je n'ai pas vu ce film. → _____

8. Il n'a pas fait les courses. → _____

3 Vocabulaire. **De quoi parle-t-on ?**

1. C'est l'endroit où l'on installe tentes et caravanes. → _____

2. C'est le « lit » dans lequel on dort sous la tente. → _____

3. Ce camping est luxueux, il en a quatre. → _____

4. On peut la planter ou la monter. → _____

5. Ça se place derrière la voiture, et cela permet de faire du camping. → _____

4 Communication. **Trouvez une réponse qui exprime la protestation, en variant les structures.**

1. « L'hôtel n'a pas de connexion Internet ». — _____

2. « Vous ne pouvez pas monter votre tente ici ! » — _____

3. « Le restaurant ne sert pas de vin blanc. » — _____

4. « Nous n'avons pas de réservation à votre nom. » — _____

5. « Les douches sont en panne. » — _____

6. « Le camping est fermé au mois d'août. » — _____

5 À vous ! **Vous arrivez dans un hôtel et tout va mal : la chambre n'a pas de « vue sur jardin », la salle de bains n'a pas de baignoire, il n'y a pas de télévision, etc. Vous protestez. Imaginez et jouez le dialogue avec le responsable de l'hôtel.**

© CLE International 2013. La photocopie non autorisée est un délit.

Exprimer des intentions, des projets

Renseigner, se renseigner

1 Louer des vélos

Brice : Bonjour, monsieur. **Nous avons l'intention de louer des vélos**, s'il vous plaît.
L'employé : Oui. **Vous voulez** des vélos classiques ou des VTT ? *(vélos tout-terrain)*
Aude : Des VTT, **c'est pour faire une promenade** dans la forêt.
L'employé : Oui, vous pouvez essayer les VTT qui sont là. **Vous désirez** garder les vélos combien de temps ? Il existe la location à l'heure, à la demi-journée ou à la journée.
Brice : Pour la journée, si c'est possible.
L'employé : Oui, bien sûr. Vous me laissez un chèque de caution de 150 € par vélo. Je vous rends le chèque quand vous revenez. Pour la location, c'est 13 € par vélo pour la journée.
Aude : Est-ce que vous avez des antivols ?
L'employé : Oui, en voilà deux. Bonne promenade !

Grammaire

Pronoms personnels compléments « me », « te », « nous », « vous »

Vous **me** laissez un chèque.
Je **vous** rends la caution.
Elle **t'**explique la situation.
Ils **nous** invitent à dîner.
Tu ne **me** comprends pas !
Je ne **vous** entends pas !

Vocabulaire

- louer → la location
  à la journée, à l'heure, à la semaine...
- laisser une caution, un chèque de caution
- rendre la caution
- un vélo, un vélo de course
- un VTT *(un vélo tout-terrain)*
- un antivol

Manières de dire

- Vous voulez...   (+ *infinitif ou + nom*) ?
- Vous désirez...   (+ *infinitif ou + nom*) ?
- Vous souhaitez...   (+ *infinitif ou + nom*) ?
- J'ai l'intention de... (+ *infinitif*)
- C'est pour faire... C'est pour aller...

- Tu veux... (+ *infinitif ou + nom*) ?

- Nous avons l'intention de... (+ *infinitif*)

Remarque de vocabulaire. Une « caution » est une somme d'argent servant de garantie. On doit laisser une caution quand on loue des vélos, des skis, un bateau... La caution est rendue au client quand il rapporte le matériel.

1 Compréhension. Vrai ou faux ?

	VRAI	FAUX
1. Brice et Aude voudraient acheter des vélos.	☐	☐
2. Ils vont se promener en ville.	☐	☐
3. Ils voudraient avoir un vélo pour une journée.	☐	☐
4. La caution est de 300 € pour les deux vélos.	☐	☐

2 Grammaire. Répondez, en utilisant le pronom approprié.

1. Tu me comprends ? — Oui, je _____ .

2. Ils vous écoutent ? — Non, ils _____ .

3. Elle te voit ? — Oui, elle _____ .

4. Tu m'accompagnes ? — Oui, je _____ .

5. Vous me laissez un chèque ? — Non, nous _____ .

6. Il vous téléphone souvent ? — Non, il _____ .

3 Vocabulaire. Choisissez la bonne réponse.

1. Vous nous rendez la | location | caution | ?

2. Elle a acheté un vélo tout- | terrain | style | .

3. Est-ce que nous pouvons | louer | acheter | des vélos à l'heure ?

4. Il voudrait un vélo de | cours | course | .

5. Il est plus prudent d'utiliser un | antivol | vol | .

6. La | location | journée | de vélo est une bonne solution.

4 Communication. Complétez par une expression d'intention.

1. Vous —————————— louer des skis ?

2. Nous —————————— l'—————————— de partir dans les Alpes.

3. Tu —————————— un vélo de course ?

4. —————————— pour faire des promenades dans la campagne.

5. Vous —————————— prendre des vélos pour toute la journée ?

6. Vous —————————— garder le vélo tout le week-end ?

5 À vous ! Vous voulez louer un petit bateau sur un lac, pour deux heures. On vous demande une caution de 200 €. Imaginez et jouez le dialogue.

6 À vous ! Vous parlez de vos projets de vacances. Exprimez vos intentions, soit sous forme de liste, soit en dialogue avec un(e) ami(e).

© CLE International 2013. La photocopie non autorisée est un délit.

2 À la banque

Félix : Bonjour, madame, **je pense ouvrir** un compte d'épargne, s'il vous plaît.

L'employée : Oui, monsieur. Dites-moi, **vous avez des projets** particuliers ?

Félix : Euh… Oui, **un jour, j'achèterai** une maison ou un appartement.

L'employée : Quand est-ce que **vous pensez réaliser** ce projet ?

Félix : Pas tout de suite. Je dois d'abord faire des économies !

L'employée : Sur ce compte d'épargne, quelle somme est-ce que vous pouvez mettre, tous les mois ?

Félix : 80 ou 100 € maximum.

L'employée : D'accord. Mais vous savez, si vous souhaitez changer le montant, il n'y a pas de problème !

Grammaire

Le futur simple

parler	je parler**ai**, tu parler**as**, il parler**a**, nous parler**ons**, vous parler**ez**, ils parler**ont**
aller	j'irai…
être	je serai…
avoir	j'aurai…
pouvoir	je pourrai…
faire	je ferai…
voir	je verrai…
venir	je viendrai…

Vocabulaire

- la banque
- le compte courant
- le compte d'épargne
- le montant = la somme
- le chèque, le chéquier
- la carte bancaire (la « carte bleue »)
- payer en espèces = en liquide
- un prélèvement automatique
- un virement
- alimenter un compte
- faire des économies

Manières de dire

- Vous avez des projets ?

  - J'aimerais…   + *infinitif*
  - Je voudrais…   + *infinitif*
  - J'ai l'intention de… + *infinitif*
  - Je souhaite…   + *infinitif*
  - Je pense…   + *infinitif*

  - Peut-être,   + *futur simple*
  - Probablement,   + *futur simple*
  - Un jour,   + *futur simple*

Renseigner, se renseigner

1   Compréhension. **Vrai ou faux ?**

	VRAI	FAUX
1. Félix voudrait ouvrir un compte courant.	☐	☐
2. Il a suffisamment d'argent pour acheter une maison.	☐	☐
3. Il va mettre de l'argent tous les mois sur un compte d'épargne.	☐	☐

2   Grammaire. **Répondez en utilisant le même verbe au futur simple.**

1. Tu parles polonais ?   — Non, mais un jour, je le ——————— .

2. Vous allez à la mer ?   — Non, mais probablement, nous ——————— cet été.

3. Elle peut venir maintenant ?   — Non, mais elle ——————— venir la semaine prochaine.

4. Tu fais du sport ?   — Non, mais un jour je ——————— du tennis.

5. Ils voient leurs cousins ?   — Non, mais ils ——————— leur oncle bientôt.

6. Il a une voiture ?   — Non, mais il ——————— une moto après son bac.

3   Vocabulaire. **Choisissez la bonne réponse.**

1. Amandine veut faire des | économies | espèces | .

2. On peut payer par | chéquier | chèque | .

3. Quel est le | montant | prélèvement | que vous souhaitez mettre sur ce compte ?

4. Il a ouvert un compte d' | épargne | économies | à la banque.

5. Il est important d'alimenter régulièrement | la banque | le compte | .

6. J'ai une carte | automatique | bancaire | .

4   Communication. **Voici quelques projets. Faites des phrases pour les présenter, en variant les structures.**

1. vivre dans un pays étranger pendant deux ans

2. travailler pour une organisation humanitaire

3. faire une carrière politique

4. trouver l'homme ou la femme de votre vie

5. organiser une fête d'anniversaire pour votre meilleur(e) ami(e)

6. apprendre une autre langue étrangère

7. faire des économies pour faire un grand et long voyage

5   À vous ! **Avez-vous des projets ? Lesquels ?**

——

——

15 Localiser

1 Aux Galeries Lafayette 🎧㉕

Marius : Pardon, madame, **je cherche** le rayon papeterie, s'il vous plaît.

Une vendeuse : C'est au fond du magasin, après les parapluies.

Marius : Où est-ce que je peux trouver un rasoir électrique ?

Une vendeuse : Au rayon électro-ménager, monsieur. C'est au deuxième étage, à gauche en sortant de l'escalator.

(Un peu plus tard.)

Marius : Je ne vois pas les rasoirs.

Un vendeur : Ils sont derrière vous, monsieur, en bas du rayon.

▬▬ Grammaire ▬▬▬▬▬▬

Prépositions et adverbes de lieu

devant ≠ derrière
au fond (de)
au premier étage ≠ au dernier étage
à gauche (de) ≠ à droite (de)
tout droit
au milieu (de)
avant ≠ après
en haut (de) ≠ en bas (de)

▬▬ Vocabulaire ▬▬▬▬▬▬

- un grand magasin
- un rayon : l'électro-ménager, la parfumerie, les vêtements…
- un escalator = un escalier mécanique
- un ascenseur
- un article
- la caisse
- le caissier, la caissière
- un vendeur, une vendeuse

▬▬ *Manières de dire* ▬▬

- Je cherche…
- Je ne vois pas…
- Où se trouve… ?
- Où se trouvent… ?
- Où est… ? Où sont… ?
- Où est-ce que je peux trouver… ?

Remarque pratique. Un « grand magasin », comme les Galeries Lafayette, le Printemps, le Bazar de l'Hôtel de Ville (BHV) ou le Bon Marché, est situé en ville ; on peut y acheter des vêtements, de la parfumerie, de la papeterie, des meubles… Une « grande surface », comme Carrefour ou Auchan, est située à l'extérieur des villes ; on y trouve des produits alimentaires, du matériel pour le sport, de l'électro-ménager…

1 Compréhension. **Vrai ou faux ?**

	VRAI	FAUX
1. Marius se trouve dans un grand magasin.	☐	☐
2. Il voudrait acheter un parapluie.	☐	☐
3. Les rasoirs sont au deuxième étage.	☐	☐

2 Grammaire. **Répondez par le contraire.**

1. Le rayon parfumerie est avant le rayon vêtements ? — Non, _____

2. Les meubles sont en bas du magasin ? — Non, _____

3. La parfumerie est à gauche de la place ? — Non, _____

4. L'électro-ménager est au premier étage ? — Non, _____

5. La cafétéria est devant le magasin ? — Non, _____

3 Vocabulaire. **Vrai ou faux ?**

	VRAI	FAUX
1. La caisse est une personne.	☐	☐
2. Un escalator n'est pas un ascenseur.	☐	☐
3. On peut acheter plusieurs articles dans un grand magasin.	☐	☐
4. Il y a un seul rayon dans un grand magasin.	☐	☐
5. Un grand magasin se situe généralement en ville.	☐	☐
6. On peut acheter des vêtements dans une grande surface.	☐	☐
7. On peut demander un renseignement à un vendeur.	☐	☐

4 Communication. **Vous êtes dans un grand magasin. Vous cherchez les articles suivants. Imaginez et jouez un court dialogue pour chacun des articles.**

1. un savon et du shampooing

2. des vêtements pour enfants

3. une cafetière électrique

4. des verres et des assiettes

5. du papier à lettres et des enveloppes

6. un sac de couchage

7. un maillot de bain

8. des chaussures de sport

5 À vous ! **Parlez des grands magasins et des grandes surfaces dans votre pays/ville. Comment s'appellent-ils ? Où se trouvent-ils ? Quels produits peut-on y acheter ?**

© CLE international 2013. La photocopie non autorisée est un délit.

2 À la campagne (26)

Gaspard : Pardon, monsieur, **nous sommes perdus, nous cherchons** le château de Bazoches. **C'est loin d'ici ?**

Le passant : Non, pas du tout. **Vous prenez cette rout**e, là, devant vous, **vous faites* trois ou quatre kilomètres et vous allez arriver à** un village qui s'appelle Villeneuve.

Margot : Ah oui, je vois sur la carte !

Le passant : Vous passez devant l'église et vous prenez la deuxième rue à droite. **Vous continuez quelques kilomètres** et **vous allez voir un panneau** « Château de Bazoches ».

Gaspard : Ce sera à droite ou à gauche ?

Le passant : Euh, à gauche. Vous devez **tourner à gauche.** C'est un petit chemin qui mène au château.

Margot : Merci beaucoup, monsieur !

Grammaire

Le pronom relatif « qui »

Vous prenez la route **qui va** à Toulouse.
Je connais un monsieur **qui s'appelle** Noël.
Elle a acheté une table **qui sera** livrée demain.
C'est une église **qui a été** construite au XIIe siècle.
J'ai pris le stylo **qui était** sur la table.

Vocabulaire

- un village
- une route de campagne
- un chemin
- la mairie
- une école communale
- une église
- un château
- le cimetière
- une épicerie
- la place du village

Manières de dire

- Je suis perdu(e).
- Je cherche…

    — Vous prenez… Vous continuez… Vous tournez… Vous passez devant…

    — Vous faites* 5 kilomètres… Vous allez voir… Vous allez arriver à…

- Nous sommes perdus.
- Nous cherchons…

- C'est loin d'ici ?

    — Non, c'est tout près. Non, ce n'est pas loin.

    — Oui, c'est à dix kilomètres d'ici.

Remarque de vocabulaire. Le « chemin » est une toute petite route dans la campagne, où les voitures passent avec difficulté. « Demander son chemin » = demander des directions.

Parler des lieux et des objets

1 Compréhension. **Vrai ou faux ?**

	VRAI	FAUX
1. Le château est tout près.	☐	☐
2. Le château se trouve avant Villeneuve.	☐	☐
3. Une grande route mène au château.	☐	☐

2 Grammaire. **Transformez selon l'exemple.**

*Exemple : Ce chemin mène au château. → **C'est un chemin qui mène** au château.*

1. Cette dame s'appelle Marguerite. → _____

2. Cette maison a été construite au XVIIᵉ siècle. → _____

3. Cette route mène à la mer.→ _____

4. Ce château reçoit beaucoup de touristes. → _____

5. Cet homme fait beaucoup de choses. → _____

6. Cette école va ouvrir le mois prochain. → _____

3 Vocabulaire. **Associez, pour constituer une phrase complète.**

1. Vous tournez	**a.** la mairie.
2. Ce n'est pas	**b.** perdu ?
3. Vous continuez	**c.** à un petit village.
4. Vous faites	**d.** à gauche.
5. Vous arrivez	**e.** dix kilomètres.
6. Vous êtes	**f.** loin.
7. Vous passez devant	**g.** tout droit.

4 À vous ! **Expliquez l'itinéraire suivant.**

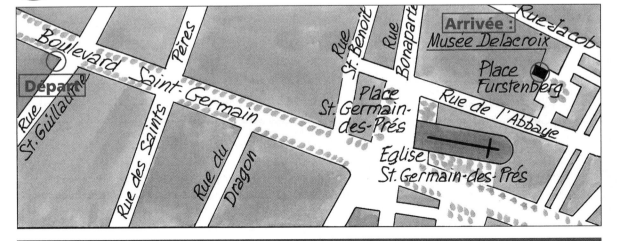

© CLE International 2013. La photocopie non autorisée est un délit.

3 Un objet perdu 🎧27

Quentin : Où est mon portefeuille ? Je ne le trouve plus !

Adèle : Il n'est pas dans ta poche ?

Quentin : Non, **je ne le trouve pas**, j'espère que je ne l'ai pas perdu !

Adèle : Voyons, qu'est-ce que tu as fait ? Quand est-ce que tu l'as sorti de ta poche, la dernière fois ?

Quentin : Chez le fromager.

Adèle : Tu es sûr que tu ne l'as pas laissé chez le fromager ?

Quentin : Non, non… j'ai payé, puis j'ai mis mon portefeuille dans ma poche.

Adèle : Il a dû tomber dans la rue, ou alors on te l'a volé.

Quentin : Je pense qu'il est tombé parce que j'ai entendu un bruit, mais je n'ai pas fait attention. Zut, qu'est-ce que je dois faire, maintenant ?

Adèle : Tu dois aller au commissariat de police, pour **faire une déclaration de perte**.

▪ Grammaire

Passé composé + pronoms personnels directs

J'ai vu le film, mon mari, la voiture, Virginie…
→ Je **l'**ai vu(e). ≠ Je ne **l'**ai pas vu(e).

Il a perdu ses clés, ses papiers…
→ Il **les** a perdu(e)s. ≠ Il ne **les** a pas perdu(e)s.

Vous avez mis votre stylo, votre clé…
→ Vous **l'**avez mis(e) dans votre poche.
≠ Vous ne **l'**avez pas mis(e)…

▪ Vocabulaire

- Un voleur vole un objet à quelqu'un.
- perdre un portefeuille
- un porte-monnaie
- un sac à main
- faire tomber un objet
- aller au commissariat de police
- faire une déclaration de vol, de perte
- « On m'a volé… J'ai perdu… »

Manières de dire

- Je ne trouve pas…
- Qu'est-ce que j'ai fait de… ?
- Je ne sais plus où j'ai mis…

- Je ne trouve plus…
- Où est-ce que j'ai mis… ?
- J'ai perdu…

Remarque grammaticale. On dit « Je **suis** sorti avec des amis. » mais « J'ai **sorti** le portefeuille. » Même situation pour « monter, descendre » : « Je **suis** monté au troisième étage. » mais « J'ai **monté** les bagages dans la chambre. »

Remarque de vocabulaire. « Je ne sais plus. » = « J'ai oublié. »

ACTIVITÉS

1 Compréhension. Vrai ou faux ?

	VRAI	FAUX
1. Quentin cherche son porte-monnaie.	☐	☐
2. Quentin a laissé l'objet chez le fromager.	☐	☐
3. L'objet est probablement tombé par terre.	☐	☐
4. Quentin doit contacter la police.	☐	☐

2 Grammaire. Répondez en utilisant un pronom personnel.

1. Vous avez trouvé le portefeuille ?   — Oui, _____

2. Il a perdu son porte-monnaie ?   — Non, _____

3. Vous avez pris les papiers ?   — Oui, _____

4. Elle a contacté le commissariat ?   — Oui, _____

5. Tu as vu le sac ?   — Non, _____

6. Tu as trouvé mes clés ?   — Oui, _____

3 Vocabulaire. Choisissez la bonne réponse.

1. J'ai | volé | perdu | mon portefeuille.

2. Je dois faire une | annonce | déclaration | au commissariat.

3. Mon passeport était dans mon | porte-monnaie | sac |.

4. On m'a volé mon sac, je dois déclarer le | vol | sac |.

5. Vous avez fait | tomber | perdre | votre passeport.

4 À vous ! Vous cherchez les objets suivants. Dites-le en variant les expressions.

1.
2.
3.
4.
5.

1. _____

2. _____

3. _____

4. _____

5. _____

© CLE International 2013. La photocopie non autorisée est un délit.

16 S'informer par téléphone

▩ Une maison à louer

Judith : Bonjour, monsieur, **je vous téléphone à propos d'une annonce que j'ai vue** dans le journal. **Vous pouvez me décrire** un peu la maison que vous louez ?

M. Allard : Oui, c'est une jolie maison ancienne, avec un petit jardin. Il y a trois chambres, une salle de séjour, deux salles de bains avec W.-C. et une cuisine.

Judith : La cuisine est équipée ?

M. Allard : Oui. Il y a une cuisinière électrique avec un four, un réfrigérateur naturellement, un four à micro-ondes…

Judith : La maison fait combien de mètres carrés ?

M. Allard : Environ 90 m^2.

Judith : Et pour le linge de maison, **est-ce qu'il y a** des draps ?

M. Allard : Non, vous devez en apporter ou en louer.

Judith : Il y a un lave-linge ?

M. Allard : Oui, il y en a un dans la cuisine.

▩ Grammaire

Le pronom personnel « en »

▪ On ne précise pas combien

Il y a du papier ?	— Oui, il y en a.
Tu as des crayons ?	— Oui, j'en ai.

▪ On précise la quantité

Il y a une terrasse ?	— Oui, il y en a **une**.
Vous avez des enfants ?	— Oui, j'en ai **trois**.

▪ Forme négative

Tu as une voiture ?	— Non, je n'en ai pas.
Il y a des draps ?	— Non, il n'y en a pas.

▩ Vocabulaire

- une maison avec un jardin, un garage
- une salle de séjour avec un canapé et des fauteuils
- une cuisine avec une cuisinière, un four, un réfrigérateur, un évier, un lave-vaisselle
- une chambre avec un lit, des draps…
- une salle de bains avec une douche, un lavabo, une baignoire, un lave-linge…
- des toilettes = des W.-C.

Manières de dire

- Je vous téléphone à propos de…
- J'ai lu une annonce dans le journal à propos de…
- Je voudrais quelques renseignements sur…

- Vous pouvez me décrire… ?
- La maison fait combien de mètres carrés ?
- Elle fait quelle surface ?

1 Compréhension. Vrai ou faux ?

	VRAI	FAUX
1. La maison n'est pas moderne.	☐	☐
2. Il y a des toilettes dans les salles de bains.	☐	☐
3. Il y a un lave-vaisselle.	☐	☐

2 Grammaire. **Répondez aux questions, en utilisant le pronom « en ». Complétez éventuellement par une indication de quantité.**

1. Il y a un jardin ? — Oui, _____

2. Il y a des touristes, dans la région ? — Oui, _____

3. Vous avez une voiture ? — Oui, _____

4. Tu as un téléphone mobile ? — Non, _____

5. Elle a des enfants ? — Oui, _____

6. Tu prends du thé ? — Oui, _____

7. Vous avez des sandales ? — Non, _____

8. Tu mets des tomates dans la salade ? — Oui, _____

3 Vocabulaire. **Associez un objet et une pièce.**

1. un évier   **a.** une salle de séjour

2. un lavabo

3. un fauteuil   **b.** une cuisine

4. un lit

5. un canapé   **c.** une chambre

6. une douche

7. un four   **d.** une salle de bains

4 Communication. **Quelles phrases pouvez-vous utiliser dans les situations suivantes ?**

1. Vous demandez la description d'un appartement.

2. Vous voulez connaître la surface de l'appartement.

3. Vous téléphonez à un propriétaire.

4. Vous demandez des renseignements sur l'appartement.

5. Vous parlez d'une annonce que vous avez vue dans le journal.

5 À vous ! **Vous téléphonez à un propriétaire pour avoir des renseignements sur un appartement à louer, pendant les vacances, à la plage. Vous voulez connaître la surface et le nombre de pièces. Vous demandez comment est la cuisine. Imaginez et jouez le dialogue.**

© CLE International 2013. La photocopie non autorisée est un délit.

17 Comparer

À propos des vacances 🎧 29

Barbara : Alors, qu'est-ce que tu en penses ? On va en Bretagne ou en Normandie ?

Vanessa : Moi, je préfère la Bretagne, c'est **plus beau**.

Barbara : Oui, c'est vrai, c'est magnifique, mais la Normandie aussi, et c'est **moins loin** !

Vanessa : Oui, mais en Bretagne, il y a **plus de choses** à voir !

Barbara : En Normandie, il y a **plus de grandes plages**, et pour les enfants, c'est **mieux** !

Vanessa : Je ne pense pas. Sur **une plus petite plage**, avec des rochers, les enfants jouent **plus facilement.**

Barbara : Donc, la Bretagne est **aussi jolie que** la Normandie… Impossible de choisir ! Alors, si on allait en Provence ?

Vanessa : (*rires*)

▰ Grammaire

Le comparatif

■ **Avec un adjectif ou un adverbe**

plus grand, plus loin, plus lentement… que

moins agréable, moins loin, moins facilement… que

aussi grand, aussi loin, aussi lentement… que

Ne dites pas :	mais :
— « ~~plus bon~~ »	« meilleur »
— « ~~plus bien~~ »	« mieux »

■ **Avec un nom**

plus **de** monuments, plus **de** possibilités, plus **de** touristes ⎤ … que

moins **de** choses à voir, moins **d'**hôtels, moins **de** jardins ⎤ … que

autant **de** choses à voir, autant **d'**amis ⎤ … que

▰ Vocabulaire

- une région touristique, pittoresque…
- une plage avec du sable, des rochers, des coquillages
- des choses à voir, à visiter
- un monument historique
- une petite route de campagne
- un parc naturel
- des activités pour les enfants

Manières de dire

- C'est une plus belle région que…
- Il y a plus de choses à voir que…
- Le restaurant est meilleur que l'autre.
- La plage est plus belle que l'autre.

- Cette ville est moins loin que…
- C'est mieux de… (+ *infinitif*)

Remarque. On peut ajouter à un comparatif l'adverbe « encore » : « C'est encore plus beau ! »

A C T I V I T É S

1 Compréhension. **Vrai ou faux ?**

	VRAI	FAUX
1. Vanessa trouve la Bretagne plus belle que la Normandie.	☐	☐
2. Barbara préfère la Normandie.	☐	☐
3. Vanessa trouve la Provence encore plus belle que la Bretagne.	☐	☐

2 Grammaire. **Imaginez au moins deux phrases pour faire ces comparaisons. Il y a plusieurs solutions, bien sûr.**

1. Narbonne : 52 000 habitants   Montpellier : 255 000 habitants

_____

_____

2. Beaune-Dijon = 45 km   Paris-Dijon = 310 km

_____

_____

3. Lille : 1 musée de peinture   Marseille : 3 musées de peinture

_____

_____

4. Aix-en-Provence : 141 000 habitants   Brest : 141 000 habitants

_____

_____

3 Vocabulaire. **Complétez.**

1. C'est une région jolie et intéressante, elle est _____.

2. Au bord de la mer, sur la _____, les enfants ramassent des _____.

3. En France, il y a beaucoup de _____ historiques à visiter.

4. Quand on aime la nature, les arbres, les chemins, il est agréable de se promener dans

un _____ _____.

5. Le Mont-Saint-Michel est visité par beaucoup de touristes, c'est un lieu très _____.

4 À vous ! **Parlez de votre pays et comparez...**

1. deux régions

2. deux villes

3. deux équipes sportives

4. deux musées

5. deux monuments historiques

© CLE international 2013. La photocopie non autorisée est un délit.

Caractériser

Parler des lieux et des objets

Avant une fête d'anniversaire

Louise : Quelle nappe est-ce qu'on met ?
Julie : La blanche, c'est la plus jolie.
Louise : Celle-ci ?
Julie : Non, celle qui est **dans le placard du bas** !
Louise : Quels verres est-ce que tu préfères ?
Julie : Ceux qui sont dans le buffet, sur **l'étagère du haut.**
Louise : Je prends les assiettes **qui sont au-dessous** ?
Julie : Oui, celles **qui ont un motif bleu.**

Grammaire

Les pronoms démonstratifs

la nappe,	**celle** qui est dans le placard
le vase,	**celui** que je préfère
les serviettes,	**celles** qui sont devant
les verres,	**ceux** qui sont bleus

Ou encore, pour une couleur, une taille :

la nappe bleue,	la bleue
les serviettes blanches,	les blanches
les petits verres,	les petits

Vocabulaire

- la nappe et les serviettes
- **la vaisselle**
  une assiette plate, à soupe, à dessert
- un plat (pour servir), un saladier
- **les couverts**
  une fourchette, un couteau,
  une cuiller, un couteau à fromage
- un verre, une carafe d'eau,
  une bouteille de vin
- un plateau
- une corbeille à pain
- une corbeille de fruits

Manières de dire

- L'étagère du haut, du bas, du milieu.
- Le placard de droite, de gauche.
- Les assiettes qui sont au-dessus, au-dessous.
- Les bleues, les noires, la rouge, les grands, la petite.
- Celui qui a un motif noir et blanc. Celle qui a des rayures jaunes.

1 Compréhension. **Vrai ou faux ?**

	VRAI	FAUX
1. La nappe blanche est sur l'étagère du haut.	☐	☐
2. Louise va prendre les verres dans un placard.	☐	☐
3. Les assiettes sont bleues.	☐	☐

2 Grammaire. **Complétez par « celui/celle/ceux/celles » ou « le/la/les » selon le cas.**

1. Je vais acheter ce pantalon.   — Lequel ?   — _____ noir.

2. Où sont les assiettes ?   — Lesquelles ?   — _____ que j'ai lavées.

3. Je cherche la boîte.   — Laquelle ?   — _____ verte.

4. Tu as vu les verres ?   — Lesquels ?   — _____ que j'ai achetés hier.

5. Où est mon stylo ?   — Lequel ?   — _____ qui était là.

6. Quelle nappe veux-tu mettre ?   — _____ qui a un motif vert et jaune.

3 Vocabulaire. **Complétez les légendes.**

1. _____   4. _____   7. _____   10. _____

2. _____   5. _____   8. _____   11. _____

3. _____   6. _____   9. _____   12. _____

4 Communication. **Caractérisez les objets suivants.**

Exemple : plateau (blanc) → **Je cherche le plateau, le blanc / celui qui est blanc.**

1. placard (gauche) → _____

2. fleurs (blanches) → _____

3. nappe (motif rouge) → _____

4. couverts (dans le tiroir) → _____

5. carafe (en cristal) → _____

6. étagère (du bas) → _____

19 Exprimer une condition

Le temps qu'il fait

Véronique : Qu'est-ce qu'on fait demain ? On va
à la plage ?

Alain : Oui, **s'il fait aussi beau** qu'aujourd'hui,
on pourra y aller. Tu te baigneras ?

Véronique : **Si l'eau n'est pas** trop froide, oui, bien sûr !
Sinon, je resterai au soleil.

Alain : Si je vois Grégoire, je lui proposerai de faire
un peu de bateau.

Véronique : Et **s'il ne fait pas** beau demain ?

Alain : **On ira** en ville faire des courses, non ?

Véronique : Oui… Même s'il pleut, ce sera agréable…

Grammaire

Structure de l'hypothèse et de la condition

■ **« Si » + présent – futur simple**

S'il **fait** beau, nous **irons** à la plage.
Si j'**ai** le temps, je **téléphonerai** à ma cousine.
Elle **viendra** si elle **peut**.
Je **ferai** du jogging, même s'il **fait** froid.

Vocabulaire

- Il fait beau ≠ mauvais.
- Il fait froid ≠ chaud.
- L'eau de la mer est bonne ≠ froide.
- Il y a du soleil, du vent.
- Il y a des nuages = il fait gris.
- Il pleut. La pluie est forte.
- Il fait 24°. (« Il fait vingt-quatre. »)
- Il fait – 3°. (« Il fait moins trois. »)
- On ne voit rien, il y a du brouillard.

Manières de dire

• S'il fait beau, je…	+ *futur simple*
• Si j'ai le temps, je…	+ *futur simple*
• Si nous pouvons, nous…	+ *futur simple*
• Même si c'est difficile, nous…	+ *futur simple*
• Sinon, nous…	+ *futur simple*

Remarque grammaticale. Dans la langue familière, on utilise « on » pour « nous » *(voir page 86)*.
« Nous avons dîné au restaurant. » *(langue correcte)* → « On a dîné au restaurant. » *(langue familière)*
« Nous irons au cinéma. » → « On ira au cinéma. »
Remarque de vocabulaire. « Se baigner » = aller dans l'eau.
« Je suis allé à la plage, dimanche. — Tu t'es baigné ? — Non, l'eau était trop froide. »

Parler des lieux et des objets

1 Compréhension. **Vrai ou faux ?**

	VRAI	FAUX
1. Véronique n'aime pas l'eau froide.	☐	☐
2. Alain voudrait faire du bateau.	☐	☐
3. Même s'il pleut, Véronique et Alain iront à la plage.	☐	☐

2 Grammaire. **Complétez aux temps appropriés.**

1. Si nous _____ à la plage *(aller)*, les enfants _____ des coquillages *(ramasser)*.

2. Je _____ le train *(prendre)* si ma voiture ne _____ pas *(marcher)*.

3. S'il _____ beau *(faire)*, j'_____ les enfants dans la forêt *(emmener)*.

4. Si nous _____ notre appartement *(vendre)*, nous _____ acheter une maison en Bretagne *(pouvoir)*.

5. Si c'_____ possible *(être)*, je _____ tôt *(partir)*.

6. S'il y _____ assez de vent *(avoir)*, elle _____ du bateau *(faire)*.

3 Vocabulaire. **Quel temps fait-il ?**

1. _____
2. _____
3. _____
4. _____
5. _____
6. _____

1.

2.

3.

4.

5.

6.

4 À vous ! **Vous voulez faire les actions suivantes. Ajoutez une condition et faites une phrase complète.**

1. faire du jogging
2. regarder le match de rugby
3. téléphoner à un(e) ami(e)
4. aller au cinéma
5. préparer un bon plat
6. pouvoir prendre des vacances
7. *(À vous d'imaginer !)*

© CLE International 2013. La photocopie non autorisée est un délit.

20 Parler d'un besoin

Dans un nouveau bureau

Joël : Alors, **de quoi avons-nous besoin** ?

Vincent : **Il nous faut** deux ordinateurs portables, une photocopieuse et un fax. C'est le minimum.

Joël : Tu as besoin d'un téléphone mobile ?

Vincent : Quelle question ! Bien sûr ! Tu me vois sans téléphone mobile ? !

Joël : Il faut aussi **que** nous demandions une connexion Internet à haut débit. Je passe mes journées à consulter le Net.

Vincent : Oui, **il faut aussi** créer un site Internet.

Joël : Tu as raison. Il faut que je téléphone à Bruno. Il a promis de nous aider.

Grammaire

Le subjonctif des verbes en « -er »

Même conjugaison que le présent de l'indicatif, sauf pour « nous » et « vous ».

■ Il faut que…

	je parle, tu parles,
	il parle,
	nous parl**ions**, vous parl**iez**,
	ils parlent
trouver	je trouve, nous trouv**ions**
demander	je demande,
	nous demand**ions**

Vocabulaire

- un téléphone mobile = un portable
- taper un document sur un ordinateur (portable) avec un logiciel de traitement de texte (Word, par exemple)
- imprimer un document sur une imprimante
- photocopier grâce à une photocopieuse
- utiliser un fax = un télécopieur
- un appareil photo (digital)
- consulter la Toile = le Net
- surfer sur le Net = Internet
- se connecter = aller sur le site www…
- créer un site Internet
- envoyer par courriel (= par e-mail = mail)
- télécharger, le téléchargement

Manières de dire

- De quoi avons-nous besoin ?
- De quoi as-tu besoin ?
- J'ai besoin de… + *nom*
- Qu'est-ce qu'il te/nous/vous faut ?
- Il faut que… + *subjonctif*

- De quoi avez-vous besoin ?
- Tu as besoin de… + *nom*
- Il me/nous faut… + *nom*

A C T I V I T É S

1 Compréhension. Vrai ou faux ?

	VRAI	FAUX
1. Vincent n'a pas besoin d'un télécopieur.	☐	☐
2. Joël utilise beaucoup l'Internet.	☐	☐
3. Joël et Vincent n'ont pas encore de site Internet.	☐	☐

2 Grammaire. Complétez au subjonctif.

1. Il faut que vous _____ à Charlotte. *(demander)*

2. Je voudrais qu'il _____ sur ce projet. *(travailler)*

3. Il faut que nous _____ les clients. *(inviter)*

4. Il faut que vous _____ notre site Internet. *(consulter)*

5. C'est bien que tu _____ Maxime. *(contacter)*

6. Il est important que nous _____ un ordinateur. *(acheter)*

7. Il faut qu'elle _____ le document. *(imprimer)*

3 Vocabulaire. Choisissez la bonne réponse.

1. Je | vais | consulte | sur le site de Clé International.

2. Il | connecte | imprime | un document.

3. Nous avons un ordinateur | mobile | portable |.

4. Impossible d'envoyer d'un fax, | le télécopieur | la photocopieuse | ne marche pas.

5. Vous avez un | ordinateur | logiciel | de traitement de texte ?

6. Ils ont besoin d'un appareil photo | portable | digital |.

7. Il est interdit de | télécharger | consulter | de la musique.

4 Communication. Trouvez la question.

1. _____ ? — J'ai besoin d'un ordinateur.

2. _____ ? — Il me faut un télécopieur.

3. _____ ? — Oui, il faut que je lui téléphone.

4. _____ ? — Nous avons besoin d'une ligne pour l'Internet.

5 À vous ! Vous installez le bureau de vos rêves. De quoi avez-vous besoin ?

_____

_____

_____

_____

21 Saluer et présenter

■ Dans la rue

Barbara : Tiens, **bonjour,** Noémie, **ça fait* plaisir de te voir ! Ça va** ?
Noémie : Oui, **bien, merci, et toi** ?
Barbara : Pas mal, merci. Tu vas au travail ?
Noémie : Oui, je vais prendre le bus.
Barbara : Au fait, **vous vous connaissez** ?
Noémie et Léo : Non…
Barbara : Alors, **voici** Léo, mon voisin. Noémie, une ancienne collègue.
Noémie et Léo : Bonjour !
Noémie : Eh bien, mon bus arrive, **je vous laisse. Bonne journée et à bientôt** !
Barbara : Au revoir, à la prochaine*. Dis bonjour à Renaud de ma part !

■ Grammaire

Les verbes pronominaux au présent

s'appeler

je (ne) m'appelle (pas)
tu (ne) t'appelles (pas)
il/elle (ne) s'appelle (pas)
nous (ne) nous appelons (pas)
vous (ne) vous appelez (pas)
ils/elles (ne) s'appellent (pas)

se connaître

— Vous vous connaissez ?
— Oui, nous nous connaissons bien.

■ Vocabulaire

- le voisin, la voisine, les voisins
- le collègue, la collègue (de travail)
- une connaissance
- un ami < un grand ami
- une amie < une grande amie
- le père, la mère = les parents
- le fils, la fille, le frère, la sœur
- l'oncle, la tante, le cousin, la cousine

■ Manières de dire

- Bonjour…
- Ça fait* plaisir de te/vous voir !
- Je te/vous laisse !
- Au revoir, à bientôt !
- À la prochaine* !
- Dis bonjour à X. de ma part !

- Vous vous connaissez ?
- Vous connaissez… Alain ?
- Tu connais mon cousin ?
  — Alors, voici… Alain.
  — Alain, mon cousin.
  — Je te/vous présente Alain, mon cousin.

Remarques de vocabulaire. **1.** « Un grand(e) ami(e) » = un(e) très cher(chère) ami(e). – **2.** Le mot « une connaissance » est toujours féminin.

1 Compréhension. Vrai ou faux ?

	VRAI	FAUX
1. Noémie et Barbara sont de grandes amies.	☐	☐
2. Léo habite près de chez Barbara.	☐	☐
3. Renaud vit probablement avec Noémie.	☐	☐

2 Grammaire. Complétez au présent.

1. Vous _____ ? *(se connaître)* — Oui, nous _____ .

2. Elle _____ de ses parents ? *(s'occuper)*

— Non, elle _____ de ses enfants.

3. Les enfants _____ bien ? *(s'entendre)*

— Non, ils ne _____ pas bien.

4. Il _____ Fabrice ? *(s'appeler)* — Non, il _____ Fabien.

5. Tu _____ avec ta sœur ? *(se disputer)*

— Oui, quelquefois je _____ avec elle.

6. Tu _____ au club de gym ? *(s'inscrire)*

— Oui, je _____ maintenant.

3 Vocabulaire. Complétez.

1. Ils travaillent ensemble, ils sont _____ .

2. Rose habite à côté de chez moi, c'est ma _____ .

3. Je connais un peu Léon, c'est une _____ .

4. Michel et François sont des _____ d'enfance.

5. Philippe est un _____ de Bruno, ils sont très proches.

4 Communication. Trouvez une réponse possible.

1. Vous connaissez Franck ?

2. Bonjour, Zohra, ça va ?

3. Tu connais ma collègue ?

4. Vous vous connaissez ?

5. Comment s'appellent tes voisins ?

5 À vous ! Présentez votre entourage (famille, amis, collègues), donnez le nom des personnes et dites qui elles sont.

Excuser et s'excuser

Monsieur « Catastrophe »

Louis : **Oh pardon, madame ! Excusez-moi !**
   Je ne vous avais pas vue !

Madame Rousseau : Ce n'est rien, monsieur.
   Il n'y a pas de mal !

(Plus tard.)

Louis : Je suis désolé d'être en retard ! J'avais
   oublié la réunion !

Laurent : Ce n'est pas grave, nous n'avons pas
   encore commencé !

(Plus tard, en sortant du bureau.)

Isabelle : Louis ! Louis !

Louis : Isabelle ! Oh, pardon, **excuse-moi,**
   je ne t'avais pas entendue !

Grammaire

Le plus-que-parfait

Même structure que le passé composé, mais
l'auxiliaire « être » ou « avoir » est à l'imparfait.
prendre
j'avais pris, tu avais pris, il avait pris,
nous avions pris, vous aviez pris, ils avaient pris
aller
j'étais allé(e), tu étais allé(e), il/elle était allé(e),
nous étions allé(e)s, vous étiez allé(e)(s),
ils/elles étaient allé(e)s

■ On peut ajouter un adverbe
Tu avais **déjà** lu ce livre ?
Nous avions **toujours** imaginé…
Ce jour-là, j'avais **mal** dormi.

Vocabulaire

Quelques actions quotidiennes
- se lever, se préparer
- partir de la maison
- emmener les enfants à l'école
- prendre le train, le bus,
  la voiture
- aller au bureau, le matin
- avoir une réunion
- quitter le bureau, le soir
- heurter quelqu'un dans la rue
- attendre le bus, le train
- rentrer à la maison, chez soi…
- regarder la télévision, lire
  le journal…

Manières de dire

- Excusez-moi ! / Excuse-moi !
- Pardon !
- Je ne vous avais pas vu(e)/vu(e)s. / Je ne t'avais pas vu(e).
- Je suis désolé(e) !
- Je suis vraiment désolé(e).

— Ce n'est rien !
— Il n'y a pas de mal !
— Je vous en prie !/Je t'en prie !
— Ce n'est pas grave !

1 Compréhension. Vrai ou faux ?

	VRAI	FAUX
1. Louis a heurté une dame dans la rue.	☐	☐
2. La réunion est déjà finie.	☐	☐
3. Louis ne voit pas Isabelle.	☐	☐

2 Grammaire. Complétez les phrases au plus-que-parfait.

1. Vous _____ déjà _____ ce film ? *(voir)*

2. Ils _____ leur maison. *(vendre)*

3. Il _____ en Grèce. *(aller)*

4. Tu _____ le train. *(prendre)*

5. Ils _____ avant moi. *(rentrer)*

6. J'_____ avant mon collègue. *(arriver)*

7. Elle _____ déjà _____ le journal. *(lire)*

3 Vocabulaire. Choisissez la bonne réponse.

1. Il ┃ part ┃ prend ┃ de la maison à 7 heures et demie.

2. Il ┃ prend ┃ va ┃ le bus.

3. Il ┃ part ┃ arrive ┃ au bureau vers 8 heures et demie.

4. Il ┃ a ┃ prend ┃ une réunion à 10 heures.

5. Il ┃ quitte ┃ attend ┃ le bureau vers 18 heures.

6. Il ┃ part ┃ rentre ┃ à la maison vers 19 heures.

7. Il ┃ regarde ┃ lit ┃ la télévision.

4 Communication. Que disent-ils ?

© CLE International 2013. La photocopie non autorisée est un délit.

23 Téléphoner

1 Un ami téléphone

Madame Vérot : Oui, allô ?

Vincent : Bonjour madame, **est-ce que je pourrais parler à** Guillaume, s'il vous plaît ?

Mme Vérot : Ah, je suis désolée, Guillaume **n'est pas là. Je peux prendre un message** ?

Vincent : Oui, je suis Vincent, un copain* de fac*. **Est-ce que Guillaume peut me rappeler sur mon mobile ?**

Mme Vérot : Il a votre numéro ?

Vincent : Oui, oui !

Mme Vérot : D'accord, **je lui dirai** !

Vincent : Merci madame, au revoir !

Grammaire

Les pronoms personnels indirects

Je dirai **à Alain** de vous rappeler.
→ Je **lui** dirai.

Vous laissez un message **à Léa**.
→ Vous **lui** laissez un message.

Nous parlerons **à nos amis**.
→ Nous **leur** parlerons.

Je peux **lui** envoyer une lettre.
Vous voulez **lui** parler ?

Vocabulaire

- le mobile = le portable
- allumer ≠ éteindre le portable
- appeler quelqu'un sur son mobile = son portable
- le numéro de téléphone
- le numéro de mobile = de portable
- consulter le répondeur
- prendre un message
- laisser un message sur le répondeur
- envoyer ≠ recevoir un SMS = un texto
- répondre au téléphone

Manières de dire

- Est-ce que je pourrais parler à… ?
- Est-ce que je peux parler à… ?
- Est-ce que Daniel est là ?
- Il/Elle peut me rappeler au 01 72 36 30 53.
- Il/Elle peut me rappeler sur mon mobile / portable.

— Non, il n'est pas là. Je peux prendre un message ?

Remarques de vocabulaire. **1.** « Un copain », « une copine » sont des termes familiers pour « ami(e) ».
– **2.** « La fac » = la faculté = l'université.

1 Compréhension. Vrai ou faux ?

	VRAI	FAUX
1. Guillaume est absent.	☐	☐
2. Vincent a un portable.	☐	☐
3. Guillaume n'a pas le numéro de portable de Vincent.	☐	☐

2 Grammaire. Répondez en utilisant « lui » ou « leur ». Attention aux temps des verbes.

1. Vous téléphonez à *Bertrand* ?   — Oui, je _____
2. Tu diras à *ton fils* que Pierre a téléphoné ?   — Oui, je _____ que Pierre a téléphoné.
3. Tu voudrais parler à *Véronique* ?   — Oui, je _____
4. Tu demanderas l'adresse à *tes parents* ?   — Oui, je _____
5. Vous donnerez le message à *Colette* ?   — Oui, je _____
6. Vous devez écrire à *Brice et Juliette* ?   — Oui, je _____

3 Vocabulaire. Choisissez la bonne réponse.

1. Vous avez un mobile ?
   ☐ **a.** Oui, j'ai un portable.   ☐ **b.** Oui, j'ai un répondeur.

2. Tu as laissé un message ?
   ☐ **a.** Oui, sur son texto.   ☐ **b.** Oui, sur son répondeur.

3. Vous avez son numéro de portable ?
   ☐ **a.** Oui, il a un mobile.   ☐ **b.** Oui, c'est le 06 08 07 09 10.

4. Tu as consulté ton répondeur ?
   ☐ **a.** Oui, et je n'ai pas de message.   ☐ **b.** Oui, j'ai envoyé un message.

4 Communication. Complétez par un verbe approprié.

1. Est-ce que je _____ parler à Bérengère, s'il vous plaît ?
2. Est-ce que Paul _____ là ?
3. Je peux _____ un message ?
4. Lucie peut me _____ sur mon mobile ?
5. Est-ce que je peux _____ à Simon, s'il vous plaît ?

5 À vous ! Vous téléphonez chez un ami et c'est une autre personne qui répond. Vous demandez à parler à votre ami. Il n'est pas là. L'autre personne demande si elle peut prendre un message. Vous dites que oui, et vous demandez que votre ami vous rappelle. Vous donnez votre numéro de téléphone. Imaginez et jouez le dialogue.

© CLE International 2013. La photocopie non autorisée est un délit.

Parler aux autres

2 Dans une entreprise

La standardiste : Société Reflex, bonjour !

Frédéric : Bonjour madame, **je voudrais parler à** Daniel Rodin, s'il vous plaît.

La standardiste : Oui, monsieur, **c'est de la part de qui** ?

Frédéric : De la part de Frédéric Lemaître.

La standardiste : Ne quittez pas, je vous le passe. (…) Je suis désolée, **son poste est occupé. Vous patientez ? Vous voulez laisser un message ?**

Frédéric : Non merci, **je le rappellerai** plus tard.

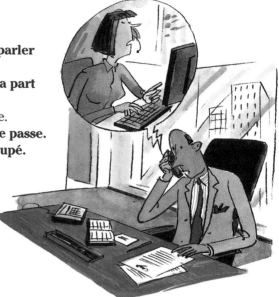

Grammaire

Les doubles pronoms personnels

Je **vous le** passe.
Elle **me le** donne.
Je **te l'**apporte.
Ils **nous la** prêtent.

Mais :

Je **le lui** donne.
Il **la lui** offre.
Nous **le leur** expliquons.

Vocabulaire

- Au standard (= l'accueil, la réception), le/la standardiste répond aux appels.
- le poste
- la ligne
- être occupé = être en ligne
- appeler quelqu'un
- téléphoner à quelqu'un
- rappeler quelqu'un plus tard
- patienter (= attendre)
- prendre un message ≠ laisser un message

Manières de dire

- Je voudrais parler à…
- Est-ce que je peux parler à… ?
- Est-ce que je pourrais parler à… ?

- C'est de la part de qui ?
- Ne quittez pas !
- Je vous le/la passe !
- Son poste est occupé.
- Vous patientez ?
- Vous voulez laisser un message ?

Remarque de grammaire. Attention à la construction des verbes : « téléphoner <u>à</u> quelqu'un » (« je lui/leur téléphone ») et « appeler quelqu'un » (« je l'/les appelle »).

1 Compréhension. Vrai ou faux ?

	VRAI	FAUX
1. Daniel Rodin n'est pas disponible.	☐	☐
2. Frédéric ne laisse pas de message.	☐	☐
3. Frédéric téléphonera plus tard à Daniel Rodin.	☐	☐

2 Grammaire. **Transformez en utilisant les doubles pronoms.**

1. Je vous passe Gilles. → Je _____.

2. Je vous passe Catherine. → Je _____.

3. Il m'apporte le livre. → Il _____.

4. Nous te donnons l'adresse. → Nous _____.

5. Tu me rends les stylos. → Tu _____.

6. Je lui donne le renseignement. → Je _____.

7. Il leur demande le numéro. → Il _____.

8. Elle lui explique le projet. → Elle _____.

3 Vocabulaire. **Trouvez une autre manière de dire.**

1. Vous <u>attendez</u> quelques instants ? → _____

2. Je <u>téléphone à</u> mon collègue. → _____

3. <u>Le poste</u> est occupé. → _____

4. Monsieur Martin est <u>en ligne</u>. → _____

5. J'attends Madame Diop <u>à la réception</u>. → _____

4 Communication. **Remettez le dialogue dans l'ordre.**

a. Ne quittez pas, je vous le passe.(…) Son poste est occupé, vous patientez ?

b. Oui, monsieur, c'est de la part de qui ?

c. Non merci, je le rappellerai plus tard.

d. Bonjour, je voudrais parler à Philippe Dubreuil, s'il vous plaît.

e. De la part de Clément Guéraud. **1.** _____ **2.** _____ **3.** _____ **4.** _____ **5.** _____

5 À vous ! **Quelle phrase utilisez-vous pour…**

1. demander à parler à quelqu'un ?

2. demander l'identité de quelqu'un ?

3. demander d'attendre ?

4. proposer de prendre un message ?

© CLE International 2013. La photocopie non autorisée est un délit.

24 Donner des instructions

1 Au club de gym (37)

Maxime : Tendez les bras... relâchez !

Corinne : Ouh, c'est fatigant !

Maxime : Soufflez ! Levez la jambe droite, baissez-la ! **Vous allez faire** le même mouvement dix fois de suite.

Corinne : Dix fois !

Maxime : N'oubliez pas de souffler ! Voilà. Ça suffit. Maintenant, **allongez-vous** par terre, les pieds au sol.

Corinne : Ça fait du bien de s'allonger ! Je suis crevée* !

Maxime : Nous allons faire quelques abdominaux.

Corinne : Oh non !... Je vais avoir des courbatures !

Maxime : Mais pourquoi est-ce que vous prenez des cours de gym, alors ? !

▬ Grammaire ▬

Impératif à la forme « vous »

Pour la plupart des verbes, on utilise la forme « vous » du présent.

souffler	Soufflez !	Ne soufflez pas !
prendre	Prenez !	Ne prenez pas !
faire	Faites !	Ne faites pas !

Mais :

avoir	Ayez...	N'ayez pas...
être	Soyez...	Ne soyez pas...

■ Verbes pronominaux

s'occuper	Occupez-vous...	Ne vous occupez pas de moi !
s'asseoir	Asseyez-vous !	Ne vous asseyez pas !

▬ Vocabulaire ▬

- s'allonger ≠ se lever
- tendre le bras ≠ relâcher
- plier le bras ≠ allonger le bras
- lever la jambe ≠ baisser la jambe
- inspirer ≠ souffler
- faire de la gym[nastique]
- faire de la musculation
- faire des abdominaux
- avoir des courbatures

▬ Manières de dire ▬

- Faites...
- Vous allez faire...

- Prenez...
- Vous allez prendre...

Ou même :

- Nous allons maintenant...

Remarque de vocabulaire. « Avoir des courbatures » = avoir des douleurs musculaires, après un gros effort : « J'ai fait du ski pendant 8 heures, j'ai des courbatures dans les jambes. »

1 Compréhension. Vrai ou faux ?

	VRAI	FAUX
1. Corinne n'est pas très sportive.	☐	☐
2. Maxime fait des abdominaux.	☐	☐
3. Corinne adore la gym.	☐	☐

2 Grammaire. Faites des phrases à l'impératif (forme « vous »).

1. faire des abdominaux : _____

2. aller au théâtre : _____

3. être patient : _____

4. ne pas prendre le métro : _____

5. s'allonger : _____

6. ne pas faire de bruit : _____

7. venir tôt : _____

8. s'asseoir : _____

3 Vocabulaire. Répondez par le contraire.

1. Elle inspire ?

2. Tu baisses les bras ?

3. Elle se lève ?

4. Il relâche le bras ?

5. Tu allonges la jambe ?

— Non, elle _____.

— Non, je les _____.

— Non, elle _____.

— Non, il le _____.

— Non, je la _____.

4 Vocabulaire. Que font-ils ?

1.   2.   3.   4.

1. _____

2. _____

3. _____

4. _____

5 À vous ! Expliquez un mouvement de gymnastique à un groupe de personnes. Utilisez le vocabulaire ci-contre.

_____
_____
_____
_____
_____

© CLE International 2013. La photocopie non autorisée est un délit.

2 Dans un jardin public

La mère : Jules, **viens** avec moi, nous allons au parc.
(Un peu plus tard.)
La mère : Allez, **va jouer** ! Regarde, il y a Anaïs,
qui veut certainement jouer avec toi.
Anaïs : Jules ! Viens jouer avec moi !
Mets-toi là et puis je vais
te lancer le ballon et **tu vas
l'attraper**.
Jules : Vas-y, **lance-moi** le ballon !
(Encore un peu plus tard.)
La mère : Qu'est-ce que tu as
trouvé dans le sable ?
Un vieux papier ? **Ne le mets
pas** dans ta bouche, c'est
sale !

▬▬ Grammaire ─────

L'impératif à la forme « tu »

Pour la plupart des verbes, il correspond à la forme « tu »
du présent.

venir	Viens !	Ne viens pas !
prendre	Prends !	Ne prends pas !
faire	Fais !	Ne fais pas !

Mais :

être	Sois…	Ne sois pas…
avoir	Aie…	N'aie pas…
parler	Parle !	Ne parle pas !

■ Verbes pronominaux

| s'occuper | Occupe-toi (de)… ! | Ne t'occupe pas (de)… ! |
| se mettre | Mets-toi là ! | Ne te mets pas là ! |

▬▬ Vocabulaire ─────

- un jardin public
- jouer dans le bac
  à sable avec un seau
  et une pelle
- un toboggan
- une balançoire
- un manège
- jouer au ballon, lancer,
  attraper le ballon
- courir, sauter, s'amuser
- jouer à… un jeu.

▬▬ *Manières de dire* ─────

- Prends le ballon ! Ne le prends pas ! Attrape-le !
- Lance-moi le ballon !

On peut également utiliser le futur proche :

- Tu vas te mettre ici et tu vas attraper le ballon.

Remarque. On écrit « Va à la poste ! », mais « Vas-y ! » (pour des raisons phonétiques).

1 Compréhension. Vrai ou faux ?

	VRAI	FAUX
1. Jules et sa mère vont jouer dans le jardin.	☐	☐
2. Anaïs veut jouer au ballon avec Jules.	☐	☐
3. Jules ne doit pas jouer au ballon.	☐	☐

2 Grammaire. **Transformez les impératifs à la forme « tu ».**

1. Venez avec moi ! _____

2. Ne prenez pas ce ballon ! _____

3. N'allez pas au parc ! _____

4. Occupez-vous de Léo ! _____

5. Mettez-vous ici ! _____

6. Allez-y ! _____

7. Ne vous mettez pas ici ! _____

8. Allez faire du jogging ! _____

3 Vocabulaire. **Complétez les légendes.**

1. _____   **2.** _____   **4.** _____

3. _____

4 Vocabulaire. **Complétez.**

1. Les enfants jouent dans le bac à _____.

2. Louise aime bien glisser sur le _____.

3. Les garçons _____ au ballon.

4. Le père _____ le ballon à son fils, qui l'_____.

5. En ville, les enfants jouent dans les _____ _____.

5 À vous ! **Vous jouez avec un enfant. Expliquez-lui ce qu'il doit faire.**

_____

_____

_____

© CLE international 2013. La photocopie non autorisée est un délit.

Nier

Une mère et son fils

Madame Moreau : Mon chéri, c'est toi qui a cassé le plat noir ?

Damien : Mais non, **je n'ai pas cassé** le plat !

Mme Moreau : Et où est-ce que tu as rangé le paquet de bonbons ?

Damien : Je n'ai pas pris le paquet de bonbons ! Quels bonbons ? Il y a des bonbons ?

Mme Moreau : C'est bizarre, je ne trouve pas mon porte-monnaie… Où est-ce que tu as mis mon porte-monnaie ?

Damien : Je n'ai pas vu ton porte-monnaie ! **Ce n'est pas juste,** tu m'accuses toujours !

Mme Moreau : Mais non, je ne t'accuse pas, je te demande, tout simplement…

Grammaire

Le passé composé négatif

Je **n'**ai **pas** pris ton sac !
Je **ne** l'ai **pas** pris !

Tu **n'**as **pas** vu mes clés ?
— Je **ne** les ai **pas** vues.

Ils **ne** sont **pas** venus.
Je **n'**ai **rien** mangé.
Il **n'**a **jamais** vu ce film.
Je **ne** me suis **pas** reposé(e).

Vocabulaire

- chercher un objet
- trouver l'objet
- ranger = mettre un objet dans un placard, un sac…
- casser un verre, un vase, une assiette
- recoller un objet cassé (avec de la colle)
- jeter un objet à la poubelle

Manières de dire

- Je n'ai pas fait ça !
- Je n'ai jamais vu ce film !
- Je n'ai rien fait !
- Mais non !
- Absolument pas !
- Non, pas du tout !

- Ce n'est pas moi !
- Ce n'est pas vrai !
- Ce n'est pas juste !

Remarque. Il existe deux réponses possibles à la question « Vous êtes **déjà** allé à Amsterdam ? »
— Non, je ne suis **pas encore** allé à Amsterdam (*mais j'irai probablement*).
— Non, je ne suis **jamais** allé à Amsterdam (*et je n'irai probablement pas*).

1 Compréhension. **Vrai ou faux ?**

	VRAI	FAUX
1. Mme Moreau a jeté le plat noir.	☐	☐
2. Damien aime probablement les bonbons.	☐	☐
3. Mme Moreau cherche son porte-monnaie.	☐	☐

2 Grammaire. **Répondez par la négative.**

1. Tu as vu mon dictionnaire ? — Non, je _____.

2. Tu as pris le bus ? — Non, je _____.

3. Elle est déjà arrivée ? — Non, elle _____.

4. Tu t'es levé tôt ? — Non, je _____.

5. Ils ont déjà visité Budapest ? — Non, ils _____

_____ . *(2 possibilités)*

6. Vous avez compris ? — Non, je _____.

7. Vous avez fait quelque chose ? — Non, nous _____.

8. Il s'est reposé ? — Non, il _____.

3 Vocabulaire. **Complétez.**

1. Quand on a _____ un objet, on peut le _____ avec de la colle.

2. J'ai _____ ces vieux magazines à la poubelle.

3. Il a _____ ses vêtements dans le placard.

4. Qu'est-ce que tu _____ ? — Mon stylo.

5. Zut ! Je ne _____ pas mon portefeuille !

4 Communication. **Répondez par la négative. Variez les expressions.**

1. C'est toi qui as fait ça ? — _____

2. Vous avez déjà vu ce film ? — _____

3. Il est déjà allé à Prague ? — _____

4. Elle a déjà travaillé à l'étranger ? — _____

5. Vous aimez cette musique ? — _____

6. Tu as acheté quelque chose ? — _____

7. Ils ont perdu le match ? — _____

5 À vous ! **Deux amis se disputent. Le premier accuse l'autre d'avoir jeté une lettre importante. Le second nie. Imaginez et jouez le dialogue.**

© CLE International 2013. La photocopie non autorisée est un délit.

26 Inviter, accepter, refuser

Parler aux autres

1 Entre voisins

(Dans le hall d'entrée d'un immeuble.)

Mathilde : Bonjour ! Nous sommes les nouveaux locataires du cinquième étage, et **nous organisons un apéritif** vendredi soir, pour connaître nos voisins. **Vous êtes libres ?**

Madame Lefèvre : Oui, c'est une bonne idée de faire ça ! **C'est gentil de nous inviter, je viendrai avec plaisir. Est-ce que je peux apporter quelque chose ?**

Mathilde : Non merci, ce sera très simple, vous savez. Et vous, monsieur, **vous pourrez venir ?**

Monsieur Saunier : Je suis vraiment désolé, je ne serai pas là vendredi. **C'est dommage,** parce que votre invitation est très gentille. Une autre fois, j'espère !

Grammaire

Les adjectifs possessifs

mon père, **ma** mère, **mes** parents
ton père, **ta** mère, **tes** parents
son père, **sa** mère, **ses** parents
notre père, **notre** mère, **nos** parents
votre père, **votre** mère, **vos** parents
leur père, **leur** mère, **leurs** parents

Vocabulaire

- Un(e) locataire loue un appartement.
- Il/Elle paye un loyer tous les mois.
- Un propriétaire possède une maison.
- Les voisins habitent dans le même immeuble, ou dans la maison d'à côté.
- On rencontre les voisins dans l'immeuble ou dans la rue.

Manières de dire

- Vous voulez venir dîner ?
  — Oui, avec plaisir, c'est très gentil !
  — Oui, ça me ferait très/vraiment plaisir.
  — Oui, c'est une bonne idée.
  — Non, c'est dommage, nous sommes absents, ce jour-là.
  — Non, je suis désolé(e), nous sommes pris, ce soir-là.
  — Hélas, nous ne sommes pas libres, nous ne serons pas là.

- Nous organisons…
- J'aimerais vous inviter à…
- Vous êtes libres ?
- Vous pouvez venir ?
- Vous pourrez venir ?
- Vous serez là ?

1 **Compréhension. Vrai ou faux ?**

	VRAI	FAUX
1. Mathilde a acheté un appartement au cinquième étage.	☐	☐
2. Madame Lefèvre est libre vendredi soir.	☐	☐
3. Monsieur Saunier est pris vendredi soir.	☐	☐

2 **Grammaire. Complétez par l'adjectif possessif approprié.**

1. Je pars en vacances avec _____ mari et _____ enfants.

2. Vous avez _____ passeport ?

3. Pierre téléphone à _____ mère.

4. Anne envoie un courrier à _____ père.

5. — Tu as vu _____ cousins, récemment ?

6. — Non, mais j'ai vu _____ oncle et _____ tante.

7. Mes amis ont décidé de vendre _____ maison.

8. Les parents ont envoyé _____ enfants chez _____ grands-parents.

9. Nous allons chez _____ amis.

10. Il va vendre _____ voiture.

3 **Vocabulaire. Choisissez la bonne réponse.**

1. Le | propriétaire | locataire | possède un appartement.

2. On peut | louer | rencontrer | les voisins.

3. Je paye un | loyer | immeuble | tous les mois.

4. Elle | loue | paye | un appartement à Lyon.

5. Mon propriétaire | possède | habite | tous les appartements de l'immeuble.

6. Mes voisins habitent dans le même | appartement | immeuble |.

4 **Communication. Répondez, en variant les réponses.**

1. Vous êtes libre, samedi soir ? — Non, _____ .

2. Vous pouvez venir, dimanche ? — Oui, _____ .

3. Vous pouvez venir dîner, vendredi ? — Non, _____ .

4. Vous serez là, jeudi, pour notre fête ? — Oui, _____ .

5. Vous voulez déjeuner avec nous ? — Oui, _____ .

5 **À vous ! Vous invitez vos voisins à un dîner simple. Ils acceptent. Vous proposez une date : ils sont pris. Vous changez la date : ils sont libres. Imaginez et jouez le dialogue.**

© CLE International 2013. La photocopie non autorisée est un délit.

2 Au travail

Charlotte : Tu es libre pour déjeuner, aujourd'hui ?

Aude : Oui, avec plaisir ! Je t'appelle vers midi, **ça te va***?

Charlotte : Très bien, à tout à l'heure !

(Vers midi.)

Aude : On va déjeuner ?

Charlotte : Oui, d'accord, je finis juste un rapport et j'arrive.

(Plus tard.)

Aude : Tu veux prendre un café ?

Charlotte : Non, désolée, je ne peux pas, je dois retourner à mon bureau, j'ai une réunion.

Grammaire

« On »

■ **La langue familière utilise « on » à la place de « nous »**

Nous allons au cinéma.

→ On va* au cinéma.

Nous sommes partis à 4 h.

→ On est* partis à 4 h.

Nous nous sommes levés tôt.

→ On s'est levés tôt.

Vocabulaire

- le bureau
- la cantine (= le restaurant d'entreprise)
- organiser une réunion (de travail)
- être en réunion, en rendez-vous
- faire = écrire un rapport
- réserver une salle de réunion
- La photocopieuse (ne) marche (pas).
- envoyer/recevoir un fax, un courrier électronique = un mail

Manières de dire

- Tu es libre, mardi soir ?
  — Oui, je suis libre.
  — Oui, mardi, c'est bien.
  — Oui, ça me va*.
  — Non, je suis pris(e).
  — Non, désolé(e), je ne peux pas !
  — Non, je suis vraiment désolé(e).

- Mercredi, à 10 heures, ça te/vous convient ? Ça te/vous va * ?
  — Oui, ça me convient. Ça me va*.
  — Non, désolé(e), ça va être difficile. J'ai déjà une réunion.

- Tu veux un café ?
  — Oui, volontiers !
  — Oui, avec plaisir.
  — Oui, je veux bien.
  — Non, merci.

Remarque. Le mot « bureau » a plusieurs sens. « Je suis **au** bureau » (= dans l'entreprise). « Je suis **dans** mon bureau » (à l'intérieur d'une pièce spécifique). « Je pose le papier **sur** mon bureau » (= sur la table de travail).

1   Compréhension. **Vrai ou faux ?**

                                                  VRAI **FAUX**

1. Aude accepte de déjeuner avec Charlotte.   ☐   ☐

2. Charlotte prendra un café avec Aude plus tard.   ☐   ☐

2   Grammaire. **Remplacez « nous » par « on » et faites les modifications nécessaires.**

1. Nous venons avec vous. _____

2. Nous sommes arrivés en avance. _____

3. Nous avons déjeuné ensemble. _____

4. Nous nous sommes occupés de ce projet. _____

5. Nous ne nous couchons pas tôt. _____

6. Nous partirons vendredi. _____

7. Nous faisons du sport. _____

8. Nous allons prendre une décision. _____

3   Vocabulaire. **Complétez.**

1. Les collègues déjeunent à la _____.

2. Je dois _____ un rapport. *(2 possibilités)*

3. Ils ont reçu une vingtaine de _____ électroniques.

4. Ils vont organiser une _____ pour discuter de ce projet.

5. Zut, le fax ne _____ pas !

6. Je vais réserver une _____ pour la réunion de demain.

4   Communication. **Répondez, en variant les expressions.**

1. Tu viens déjeuner ?   — Non, _____.

2. Tu veux un café ?   — Oui, _____.

3. Tu es libre, à 14 heures ?   — Non, _____.

4. Jeudi soir, ça te convient ?   — Non, _____.

5. La réunion est à 15 h 30, ça te va ?   — Oui, _____.

5   À vous ! **Vous proposez les activités suivantes à des amis. Faites les questions, et imaginez les réponses.**

1. déjeuner ensemble, mercredi

2. aller voir un film demain soir

3. prendre un café ensemble

© CLE international 2013. La photocopie non autorisée est un délit.

27

Demander à quelqu'un de faire quelque chose

Au bureau

Denis : Isabelle, s'il vous plaît, **est-ce que vous pouvez** prévenir Alain Sabatier que je serai un peu en retard ? Ah ! Autre chose : **il faudrait** envoyer ce fax aujourd'hui, parce que j'ai besoin d'une réponse rapide.

Isabelle : D'accord, je m'en occupe tout de suite. Zut, je ne sais pas si le fax marche bien… Odile, **tu peux** me donner le numéro de fax de la société BNH ?

Odile : Oui, tiens, le voilà. Dis-moi, **ça t'ennuierait de** répondre à mon téléphone pendant quelques minutes ?

Isabelle : Non, pas du tout, je fais passer ce fax et je m'installe à ton bureau dans un instant.

Grammaire

Le discours indirect

Dites-lui : « Je serai en retard ».
→ Vous pouvez lui dire **que je** serai en retard ?

Je dois demander : « Est-ce que c'est important ? »
→ Je dois demander **si c'est** important.

« Luc est là ? »
→ Je ne sais pas **si Luc** est là.

Demandez-lui : « Où est-ce que vous travaillez ? »
→ Demandez-lui **où il** travaille.

Demandez-leur : « Quand est-ce que vous partez ? »
→ Demandez-leur **quand ils** partent.

Vocabulaire

- quelques minutes
- un instant < un moment < un certain temps
- un quart d'heure (= 15 minutes)
- tout de suite = immédiatement
- huit jours = une semaine
- quinze jours = deux semaines
- hier, aujourd'hui, demain
- la semaine dernière ≠ la semaine prochaine
- être en avance ≠ en retard
- être à l'heure = être ponctuel

Manières de dire

- Est-ce que vous pouvez… (+ *infinitif*) ?
- Vous pourriez… (+ *infinitif*) ?
- Il faudrait… (+ *infinitif*)
- Ça vous ennuierait de… (+ *infinitif*) ?

- Est-ce que tu peux… (+ *infinitif*) ?
- Tu pourrais… (+ *infinitif*) ?

- Ça t'ennuierait de… (+ *infinitif*) ?

Remarques de vocabulaire. **1.** Les Français disent « huit jours » pour « une semaine » et « quinze jours » pour « deux semaines ». « Je reviens dans huit jours » = dans une semaine. – **2.** « Je m'en occupe » = « Je vais le faire. »

1 **Compréhension. Vrai ou faux ?**

	VRAI	FAUX
1. Denis ne sera pas à l'heure à son rendez-vous.	☐	☐
2. Le fax ne marche pas.	☐	☐
3. Isabelle va prendre les appels d'Odile.	☐	☐

2 **Grammaire. Transformez en style indirect.**

1. Est-ce qu'elle est libre ? → Je ne sais pas _____.

2. Nous serons absents. → Dis-lui _____.

3. Est-ce que la salle est réservée ? → Il faut que je demande _____.

4. Où est-ce qu'ils habitent ? → Demandez-leur _____.

5. Est-ce qu'il est invité ? → Demande-lui _____.

3 **Vocabulaire. Complétez.**

1. La réunion est à 16 heures. Si Paul arrive à 15 h 50, il est _____ _____ ;

   à 16 h 10, il est _____ _____, à 16 heures, il est _____ _____.

2. _____, nous sommes le 26 novembre. _____, c'était le 25.

   _____ , nous serons le 27.

3. J'arrive _____ _____ _____ !

4. Il revient dans 15 minutes = dans un _____ _____.

5. Elle est en vacances pour une semaine, elle revient dans _____ jours.

4 **Communication. Complétez par un verbe approprié.**

1. Ça vous _____ de changer l'heure de la réunion ?

2. Est-ce que tu _____ me donner l'adresse électronique de Ludovic ?

3. Est-ce que ça t' _____ de déjeuner à 13 heures au lieu de 12 heures ?

4. Est-ce que vous _____ téléphoner à Benjamin Rousseau ?

5. Il _____ envoyer ce courrier avant midi, s'il vous plaît.

5 **À vous ! Vous demandez à votre collègue de faire un certain nombre de choses. Variez les phrases.**

1. envoyer un fax

2. téléphoner à un client

3. faire la réunion à 15 heures au lieu de 14 h 30

4. trouver l'adresse de quelqu'un

© CLE International 2013. La photocopie non autorisée est un délit.

Proposer

La préparation d'un pique-nique

Hélène : **Et si on* faisais** un pique-nique ?

Jérôme : Ah oui, bonne idée ! **On pourrait** aller dans la forêt, c'est magnifique à cette saison.

Hélène : Oui, pourquoi pas ? Qu'est-ce qu'on emporte ?

Jérôme : On pourrait prendre du jambon, du pain, des tomates…

Hélène : Et si on achetait des gâteaux, pour le dessert ?

Jérôme : Oui, **je propose qu'**on s'arrête à la pâtisserie. Et **qu'est-ce que tu dirais** d'une petite bouteille de rosé, pour accompagner tout ça ?

Hélène : Bonne idée… n'oublions pas les verres et les assiettes en carton. On va mettre tout ça dans le sac à dos ?

Grammaire

Le conditionnel présent

Base du futur + terminaisons de l'imparfait

partir	je partir**ais**, tu partir**ais**,
	il partir**ait**,
	nous partir**ions**, vous partir**iez**,
	ils partir**aient**
venir	je viendrais, tu viendrais…
aller	j'irais, tu irais…
pouvoir	je pourrais, tu pourrais…

Vocabulaire

- faire un pique-nique → pique-niquer
- des assiettes en carton
- des serviettes en papier
- des verres en plastique
- une thermos
- un sac à dos
- faire une promenade
- trouver un endroit pour pique-niquer à l'ombre ≠ au soleil
- la forêt = les bois
- la campagne, la mer, la montagne…

Manières de dire

- Je propose que… (+ *subjonctif*)
- Je propose de… (+ *infinitif*)
- Qu'est-ce que tu dirais de… (+ *infinitif*) ?
- On pourrait (*familier*)… (+ *infinitif*)
- Et si… (+ *imparfait*) ?
- Qu'est-ce que vous diriez de… (+ *infinitif*) ?
- Nous pourrions… (+ *infinitif*)

1 Compréhension. Vrai ou faux ?

	VRAI	FAUX
1. Jérôme aimerait aller dans les bois.	☐	☐
2. Hélène n'aime pas les gâteaux.	☐	☐
3. Hélène et Jérôme vont boire du vin.	☐	☐

2 Grammaire. Complétez au conditionnel.

1. Je _____ volontiers un thé. *(prendre)*

2. On _____ aller à la mer. *(pouvoir)*

3. Si elle pouvait, elle _____ du ski. *(faire)*

4. Si tu avais un travail, tu _____ content, non ? *(être)*

5. Qu'est-ce que tu _____ de faire une promenade ? *(dire)*

6. Vous _____ réserver une chambre. *(devoir)*

3 Vocabulaire. Complétez.

1. Nous aimons bien manger dans la nature, faire des _____-_____.

2. Tu peux mettre le café dans une _____, pour qu'il reste chaud ?

3. Tu veux t'installer au soleil ? — Non, je préfère m'asseoir à _____.

4. Ils aiment la nature, les arbres, ils font des _____ en _____.

5. Pour pique-niquer, j'emporte des assiettes en _____ et des serviettes en

_____.

4 Grammaire et communication. Complétez par « de », « que » ou rien, selon le cas.

1. Je propose _____ organiser une fête.

2. Qu'est-ce que tu dirais _____ inviter Anne et Christian ?

3. On pourrait _____ faire une promenade.

4. Je propose _____ tu téléphones à Adèle.

5. Il propose _____ faire un pique-nique avec les enfants.

6. Nous pourrions _____ mettre la thermos dans le sac à dos.

5 À vous ! Vous êtes avec un groupe d'amis. Vous proposez diverses activités pour le week-end. Faites des phrases en variant les expressions.

_____

_____

_____

© CLE international 2013. La photocopie non autorisée est un délit.

Parler de sa santé

1 À la pharmacie 🎧 44

Simon : Bonjour, madame, **je voudrais quelque chose pour la digestion,** s'il vous plaît.

La pharmacienne : Oui, monsieur. C'est pour vous ou pour un enfant ?

Simon : C'est pour moi. J'ai mangé quelque chose que **je n'ai pas digéré.**

La pharmacienne : Vous avez de la fièvre ?

Simon : Non, je ne crois pas.

La pharmacienne : Voilà, je vais vous donner ceci. **Vous prenez deux comprimés**, deux fois par jour.

Simon : Je voudrais aussi **quelque chose pour le rhume**, pour un enfant de 6 ans.

La pharmacienne : Il tousse ?

Simon : Oui, et **il a mal à la gorge**.

La pharmacienne : Alors, je vais vous donner **un sirop** qui est très efficace. Vous lui donnerez une cuillerée à soupe de sirop, quatre fois par jour.

▬ Grammaire ────

Les pronoms indéfinis

quelque chose ≠ rien
quelqu'un ≠ personne
quelque part ≠ nulle part
n'importe où, n'importe qui,
n'importe quand, n'importe quel...
tout ≠ rien
chacun (e) ≠ aucun(e)

▬ Vocabulaire ────

- le pharmacien, la pharmacienne
- une ordonnance
  (= la prescription du médecin)
- quelque chose pour le rhume, la fièvre...
- prendre un médicament, des vitamines...
- un sirop contre la toux
- un comprimé d'aspirine
- un antibiotique
- des gouttes pour les yeux

▬ *Manières de dire* ▬

- Je voudrais quelque chose pour.../contre...
- J'ai de la fièvre. J'ai 38°5 de fièvre. (« trente-huit cinq »)
- Je tousse.
- J'ai mal à la gorge.
- J'ai un rhume. = Je suis enrhumé.
- J'ai une indigestion.

Remarque. Les pharmaciens peuvent donner des conseils médicaux pour de petits problèmes de santé.

1 Compréhension. Vrai ou faux ?

	VRAI	FAUX
1. Simon est très malade.	☐	☐
2. Il est enrhumé.	☐	☐
3. Simon achète quelque chose contre la toux.	☐	☐

2 Grammaire. Répondez en utilisant les indéfinis.

1. Tu as tout vu ?   — Non,_____.

2. Il connaît quelqu'un ?   — Non,_____.

3. Vous avez mangé quelque chose ?   — Non,_____.

4. On peut acheter de l'aspirine seulement dans   — Non,_____

quelques pharmacies particulières ?   _____.

5. Elle a trouvé ce livre quelque part ?   — Non,_____.

6. Il est difficile de trouver une boulangerie, en France ? — Non,_____.

7. Chacun a fait un exercice ?   — Non,_____.

3 Vocabulaire. De quoi parle-t-on ?

1. C'est la boutique où l'on va pour acheter des médicaments. → _____

2. C'est le médicament que l'on prend si on a mal à la tête. → _____

3. C'est ce qu'on donne généralement à quelqu'un qui tousse. → _____

4. Si on a une grave infection, on doit prendre ce médicament. → _____

5. C'est le nom de la prescription du médecin. → _____

6. Elles s'appellent « B 12 », « C », « D ». → _____

7. On les met dans les yeux. → _____

8. Elle est de 38° 5. → _____

4 Vocabulaire et communication. Associez, pour constituer une phrase complète.

1. J'ai 39°   **a.** à la gorge.

2. Il est   **b.** la toux.

3. Elle a mal   **c.** une indigestion.

4. J'ai   **d.** de fièvre.

5. Je voudrais quelque chose pour   **e.** enrhumé.

5 À vous ! **Vous allez à la pharmacie pour un petit problème médical. Imaginez et jouez le dialogue avec le pharmacien.**

2 Une jambe cassée

Madame Mercier : Oh là là ! **Qu'est-ce qui vous est arrivé ?**

Héloïse : Je me suis cassé la jambe !

Mme Mercier : Je vois ! **Comment vous avez fait ça ?**

Héloïse : C'est vraiment bête, **je suis tombée dans l'escalier**…

Mme Mercier : Dans l'escalier ? !

Héloïse : Mais oui, samedi dernier, je suis descendue pour faire mes courses, j'étais assez pressée. J'ai raté une marche et je me suis retrouvée un étage plus bas. Maintenant, **j'ai la jambe dans le plâtre** pour quatre semaines…

Mme Mercier : Oh ma pauvre ! Si vous avez besoin de quelque chose, n'hésitez pas à m'appeler, je suis là toute la journée.

Héloïse : Merci, je ne dis pas non…

Grammaire

Passé composé avec auxiliaire « être »

aller, venir, entrer, sortir, monter, descendre, partir, arriver, passer, rester, retourner, tomber, naître, mourir

→ je suis allé(e), nous sommes sorti(e)s…

■ **Verbes pronominaux**

s'occuper   je me suis occupé(e)
            tu t'es occupé(e)
            il/elle s'est occupé(e)
            nous nous sommes occupé(e)s
            vous vous êtes occupé(e)(s)
            ils se sont occupés
            elles se sont occupées

Vocabulaire

- se cogner contre quelque chose
- se tordre la cheville = avoir une entorse
- tomber (dans l'escalier, dans la rue…)
- se casser la jambe = avoir une fracture de la jambe
- avoir le bras dans le plâtre ≠ enlever le plâtre, le bandage
- faire de la rééducation

Manières de dire

- Qu'est-ce qui vous est arrivé ? Qu'est-ce qui s'est passé ?
- Comment vous avez fait ça ? *(familier)*
  — Je suis tombé(e)…
  — Je n'ai pas vu…
  — J'ai raté une marche…

Remarques. **1.** Les Français emploient beaucoup la forme négative. « Je ne dis pas non. » = « Je ne refuse pas. » = « J'accepte. » – **2.** Attention à la structure : « Je me suis cassé la jambe, je me suis lavé les dents… » (et non « ~~j'ai cassé ma jambe~~ »).

A C T I V I T É S

1 Compréhension. **Vrai ou faux ?**

	VRAI	FAUX
1. Héloïse a eu un accident de voiture.	☐	☐
2. Elle a le bras dans le plâtre.	☐	☐
3. Madame Mercier propose son aide.	☐	☐

2 Grammaire. **Mettez les phrases suivantes au passé composé.**

1. Nous arrivons à l'heure. → _____

2. Je me casse le bras. → _____

3. Il part à 18 heures. → _____

4. Je me fais mal. → _____

5. Elle tombe dans la rue. → _____

6. Nous restons là. → _____

7. Il se tord la cheville. → _____

8. Tu te brosses les dents. → _____

3 Vocabulaire. **Complétez.**

1. Caroline a une _____, elle s'est _____ la cheville.

2. Éric s'est _____ la jambe, il a la jambe dans le _____.

3. Après quelques semaines, on va _____ le plâtre, puis Éric va faire de la _____.

4. Il est _____ en faisant du ski, il a une _____ de la jambe.

4 Communication. **Expliquez chaque situation.**

1.   **2.**   **3.**   **4.**

1. _____

2. _____

3. _____

4. _____

3 Chez le médecin

Le médecin : Bonjour, monsieur. Alors, **qu'est-ce qui ne va pas** ? Vous boitez ?

Le patient : Je me suis fait mal à la cheville. En fait, **je me suis tordu la cheville** en courant dans la rue.

Le médecin : Montrez-moi votre cheville, s'il vous plaît. (…) Ah oui, elle est enflée. Tournez la cheville vers moi.

Le patient : Aïe !

Le médecin : Posez le pied par terre. Quand j'appuie là, **ça fait mal** ?

Le patient : Aïe ! Oui, ça fait mal !

Le médecin : Eh bien, je pense que vous avez **une grosse entorse** ! Je vais vous prescrire une radio, pour vérifier que ce n'est pas cassé.

Grammaire

Le gérondif

■ **Exprime la manière**

Comment vous avez fait ça* ?
— En courant.
— En faisant du sport.
— En coupant des légumes.

■ **Exprime la simultanéité**

Quand est-ce que tu as vu Paul ?
— En allant au bureau.
— En attendant le bus.
Arrête de parler en mangeant !

Vocabulaire

- être enflé
- appuyer (sur…)
- tourner la cheville, la main…
- remuer le bras, la main…
- marcher avec des béquilles
- boiter
- faire une radio, un scanner, une prise de sang…

Manières de dire

- Qu'est-ce qui ne va pas ?
  — Je me suis fait mal à la main, à la jambe…
  — Je me suis fait mal au dos, au pied…
- Ça fait mal ?
  — Oui, ça fait (très) mal !
- Où est-ce que vous avez mal ?
  — J'ai mal à la tête, au bras, aux dents… J'ai très mal !

1 Compréhension. Vrai ou faux ?

	VRAI	FAUX
1. Le patient s'est cassé la jambe.	☐	☐
2. Il ne peut pas remuer la cheville.	☐	☐
3. On doit vérifier que ce n'est pas cassé.	☐	☐

2 Grammaire. **Répondez en utilisant le gérondif.**

1. Comment est-ce que vous vous êtes fait mal ? — *(jouer au football)* _____

2. Quand est-ce que tu as acheté ces fleurs ? — *(sortir du métro)* _____

3. Comment tu as attrapé ce rhume ? — *(attendre le bus)* _____

4. Quand est-ce qu'elle a rencontré son amie? — *(aller chercher les enfants à l'école)* _____

_____

5. Quand est-ce que vous êtes tombé ? — *(partir au bureau)* _____

6. Quand est-ce que tu as vu Lise ? — *(faire des courses)* _____

3 Vocabulaire. **Complétez.**

1. Il s'est cassé la jambe, il marche avec des _____ .

2. On ne sait pas si le bras est cassé, on va faire une _____ , pour vérifier.

3. Elle marche avec difficulté, elle _____ .

4. La cheville est toute _____ , elle a doublé de volume !

5. Si j' _____ là, sur le bras, est-ce que ça fait mal ?

4 Vocabulaire et communication. **Complétez par le verbe approprié.**

1. Je me _____ mal au bras en faisant du sport.

2. Est-ce que ça _____ mal ?

3. Où est-ce que vous _____ mal ?

4. Qu'est-ce qui ne _____ pas ?

5. Vous vous _____ mal ?

5 À vous ! **Expliquez un petit accident que vous avez eu. Dites comment c'est arrivé et ce qui s'est passé.**

_____

_____

_____

_____

_____

Parler de soi

Parler de ses goûts

Entre amis

Ludovic : Je vais voir un spectacle de cabaret, ce soir. **Ça t'intéresse** ?

Émilie : Oui, **j'aime bien** sortir, aller au spectacle…

Ludovic : Moi aussi, mais **je n'aime pas beaucoup** aller au cinéma. **Je déteste** faire la queue devant le cinéma. **Je préfère** le théâtre.

Émilie : Moi aussi, **j'adore** le théâtre. En fait, **je suis passionnée de** théâtre, tu sais ?

Ludovic : Tu aimes la littérature, alors ?

Émilie : Oui, j'aime beaucoup la littérature.

Ludovic : Et tu aimes le cirque ?

Émilie : Ah non, **j'ai horreur du** cirque !

Grammaire

L'usage de l'infinitif

■ **Verbes construits avec « de »**
ou sans préposition (+ infinitif)

décider **de**, finir **de**

avoir envie **de**

avoir horreur **de**

avoir besoin **de**

→ J'ai envie de sortir.

Mais :

préférer, aimer, détester, adorer

→ Il préfère aller au cinéma

Vocabulaire

- un passe-temps, une activité
- faire de la musique, du chant, de la danse…
- faire du sport, du tennis, du football…
- être passionné de cinéma, de sport…
- aller à la pêche…
- lire des romans policiers
- aimer la littérature, la poésie, le théâtre
- aller au concert

Manières de dire

- Vous aimez la musique ?

  — Oui, j'aime bien la musique. < Oui, j'aime beaucoup la musique. < Oui, j'adore la musique. < Oui, je suis passionné(e) de musique.

  — Non, je n'aime pas beaucoup la musique. < Non, je n'aime pas la musique. < Non, je déteste la musique. < Non, j'ai horreur de la musique.

- Ça vous intéresse ? Ça t'intéresse ?

  — Oui, ça m'intéresse (beaucoup). Non, ça ne m'intéresse pas (beaucoup).

- Vous vous intéressez au cinéma ? Tu t'intéresses au cinéma ?

  — Oui, je m'y intéresse ! Non, je ne m'y intéresse pas.

1 Compréhension. Vrai ou faux ?

	VRAI	FAUX
1. Émilie accepte d'aller au cabaret.	☐	☐
2. Ludovic et Émilie détestent le théâtre.	☐	☐
3. Émilie déteste le cirque.	☐	☐

2 Grammaire. **Complétez par une préposition ou un article, si nécessaire.**

1. Elle déteste _____ bruit.

2. Ils ont horreur _____ romans policiers.

3. Tu as envie _____ sortir ?

4. Il a besoin _____ billets pour le spectacle.

5. Elle préfère _____ cinéma.

6. J'adore _____ musique.

7. Nous avons décidé _____ voir ce spectacle.

8. J'aime beaucoup _____ faire du sport.

3 Vocabulaire. **Qu'aiment-ils faire ?**

1. **2.** **3.** **4.**

1. _____

2. _____

3. _____

4. _____

4 À vous ! **Répondez librement, en variant les expressions.**

1. Est-ce que vous aimez la musique ? Si oui, quelle musique est-ce que vous écoutez ?

2. Est-ce que le sport vous intéresse ? Si oui, lequel et pourquoi ?

3. Est-ce que vous aimez la campagne ? Pourquoi ?

4. Est-ce que vous vous intéressez à l'histoire de votre pays ? Pourquoi ?

5. Qu'est-ce que vous aimez lire ?

Parler de son curriculum vitae

Une baby-sitter

Constance : Voilà, je cherche une jeune fille pour garder mes enfants, un bébé de 5 mois et une petite fille de 4 ans. Vous vous êtes déjà occupée d'enfants ?

Alix : Oui, bien sûr, **je me suis beaucoup occupée d'**enfants. D'abord, j'ai deux petits frères et une petite sœur, donc **j'ai l'habitude !** J'ai beaucoup aidé ma mère !

Constance : Vous avez aussi travaillé pour d'autres familles ?

Alix : Oui, **j'ai fait du baby-sitting** pour une famille allemande. Il y avait trois enfants de 9 mois, 3 ans et 5 ans et demi.

Constance : Vous avez donc l'habitude des bébés ?

Alix : Oui, bien sûr. **Je sais** changer les couches et donner un biberon ! Et puis, **je connais bien** les enfants.

Constance : Vous êtes libre à quel moment ?

Alix : Je suis libre tous les soirs sauf le jeudi soir, parce que j'ai un cours. **Je suis disponible** aussi le week-end, si vous me prévenez quelques jours à l'avance.

Grammaire

« Savoir » / « Connaître »

■ **« savoir » + infinitif**
Je sais conduire.
Il ne sait pas nager.

■ **« savoir » + « qui/quand/comment… »**
Je sais qui viendra à la fête.
Elle ne sait pas où il habite.

■ **« connaître » une personne, un lieu…**
Je connais un petit restaurant agréable.
Il connaît François.

Vocabulaire

- un bébé
- s'occuper d'un enfant en bas âge
- changer les couches du bébé
- donner le biberon à un bébé
- donner à manger à un enfant
- donner un bain à un enfant
- mettre un enfant au lit
- raconter une histoire à un enfant
- chanter une chanson

Manières de dire

- Vous avez déjà une expérience professionnelle ? — Oui, j'ai de l'expérience.
- Vous savez… ? — Oui, je sais bien…
- Vous vous êtes déjà occupé(e) de… ? — Oui, je me suis occupé(e) de…
- Vous avez l'habitude de… ? — Oui, j'ai l'habitude de…
— Non, je n'ai pas l'habitude de…
- Vous connaissez… ? — Oui, je connais…/Non, je ne connais pas…
- Vous êtes disponible ? — Oui, je suis libre = disponible.

1 Compréhension. Vrai ou faux ?

	VRAI	FAUX
1. La baby-sitter n'est pas fille unique.	☐	☐
2. Elle a de l'expérience avec les enfants.	☐	☐
3. Elle n'est pas libre le soir.	☐	☐

2 Grammaire. Complétez par « savoir » ou « connaître » au présent.

1. Tu _____ où habite Noëlle ?

2. Oui, mais je ne _____ pas son adresse.

3. Léon _____ utiliser cette machine ?

4. Je ne _____ pas faire cet exercice !

5. Ils _____ bien l'Allemagne ?

6. Je ne _____ pas si elle sera là.

7. Vous _____ le château de Chantilly ?

3 Vocabulaire. Associez, pour constituer une phrase complète.

1. Il faut que je change	**a.** un biberon ?
2. C'est l'heure de mettre	**b.** je lui raconte une histoire.
3. Tu peux lui donner	**c.** donner un bain à un bébé.
4. Elle s'occupe	**d.** la couche du bébé.
5. Mon fils adore que	**e.** les enfants au lit.
6. J'ai l'habitude de	**f.** bien des enfants.

4 Communication. Trouvez une question.

1. _____ ? — Oui, je sais m'occuper d'un bébé.

2. _____ ? — Oui, j'ai l'habitude des enfants en bas âge.

3. _____ ? — Oui, j'ai beaucoup d'expérience.

4. _____ ? — Oui, je connais des chansons pour les enfants.

5. _____ ? — Oui, je me suis déjà occupé(e) de jeunes enfants.

5 À vous ! Parlez de votre expérience professionnelle. Que savez-vous faire ? Que connaissez-vous bien ?

_____

_____

_____

32

Demander et donner son opinion

Parler de soi

Entre collègues

Xavier : Qu'est-ce que tu penses de ce projet ?
Jérémie : Moi, **je trouve que** c'est intéressant, et toi ?
Xavier : À mon avis, le projet va coûter trop cher ! Nous n'avons pas les moyens d'organiser cette conférence. En plus, **je crois que** nous venons de dépenser beaucoup d'argent, récemment… Tiens, Marie-Claude, **j'aimerais avoir ton opinion sur** la question.
Marie-Claude : Je pense que le projet est intéressant, **mais** ce n'est pas le bon moment, **en effet.**
Paul : Moi, **je suis contre** ce projet, **c'est ridicule de** le lancer maintenant !
Hélène : Tiens, je viens de recevoir un courriel de François qui me parle de ce projet. **Il est pour**, apparemment !

Grammaire

Le passé récent

■ **Verbe « venir » au présent + « de » (+ infinitif)**

Je **viens d'**arriver.
Nous venons de téléphoner au client.
Ils viennent de recevoir un fax.
Je viens de m'occuper de…

Vocabulaire

- un budget
- les finances d'une entreprise
- dépenser de l'argent ≠ économiser
- avoir les moyens de…
- le directeur financier
- lancer un projet
- organiser un séminaire, une conférence, une réunion…

Manières de dire

- Qu'est-ce que tu penses de… ? Que pensez-vous de… ?
- J'aimerais connaître = avoir ton/votre opinion. Quelle est ton/votre opinion ?
  — Je suis pour ≠ je suis contre.
  — Je pense que… — Je crois que… — Je trouve que…
  — À mon avis,…
  — C'est une bonne ≠ mauvaise idée.
  — C'est le bon ≠ mauvais moment pour…
  — En effet,…
  — Il/C'est ridicule de…

1   **Compréhension. Vrai ou faux ?**

	VRAI	FAUX
1. Xavier est contre ce projet.	☐	☐
2. Marie-Claude est d'accord pour faire ce projet, mais à un autre moment.	☐	☐
3. Hélène vient de parler avec François.	☐	☐

2   **Grammaire. Mettez les phrases suivantes au passé récent.**

1. Il a réservé. → _____

2. Elle est partie. → _____

3. J'ai reçu une lettre. → _____

4. Il s'est occupé de cette question. → _____

5. Ils sont arrivés. → _____

6. Tu as dit le contraire ! → _____

7. Ils ont eu une réunion. → _____

8. Nous avons acheté une maison. → _____

9. Vous avez payé ? → _____

10. Je me suis levé. → _____

3   **Vocabulaire. Choisissez la bonne réponse.**

1. Nous allons | organiser | dépenser | une conférence.

2. Je n'ai pas les | moyens | finances | de partir.

3. En ce moment, nous devons | organiser | économiser | de l'argent.

4. Il s'occupe des | moyens | finances | de l'entreprise.

5. Ils doivent organiser une | conférence | entreprise |.

4   **Vocabulaire et communication. Complétez.**

1. J'aimerais _____ votre opinion.

2. À mon _____, ce n'est pas possible.

3. Qu'est-ce que tu _____ de ce film ?

4. Je _____ que c'est un bon film.

5. C'est une mauvaise _____ de partir maintenant.

6. Quelle est l'_____ de Xavier ?

5   **À vous ! Vous êtes avec un groupe d'amis. Vous parlez d'une activité, d'un projet commun. Chacun demande ou donne une opinion. Imaginez et jouez le dialogue.**

© CLE International 2013. La photocopie non autorisée est un délit.

Exprimer la surprise

Une fête d'anniversaire

Alain : Jane ! **Ça alors ! Ce n'est pas possible**, tu es venue !

Jane : Eh oui, c'est ton anniversaire aujourd'hui, non ?

Alain : Oui, bien sûr ! **Quelle bonne surprise** ! Mais comment tu as su que j'organisais une fête ce soir ?

Jane : Ah… j'ai mes petits secrets… Non, en fait, j'ai téléphoné à Philippe, et nous avons tout décidé ensemble.

Alain : C'est un magnifique cadeau de te voir. **Je suis encore stupéfait.** Tu m'avais dit que tu étais en voyage, en mai…

Jane : Eh oui, je voulais te faire la surprise…

Alain : Eh bien, champagne !

Grammaire

La nominalisation

venir	la venue
développer	le développement
partir	le départ
sortir	la sortie
entrer	l'entrée
décider	la décision
fêter	la fête
exprimer	l'expression
surprendre	la surprise
voyager	le voyage

Vocabulaire

- célébrer = fêter son anniversaire
- C'est mon 30e anniversaire.
- un gâteau d'anniversaire
- souffler les bougies
- faire un cadeau à quelqu'un
- recevoir un cadeau, ouvrir les paquets
- ouvrir une bouteille de champagne
- faire une surprise à quelqu'un
- « Bon anniversaire ! »

Manières de dire

- Je suis surpris ! Je suis étonné(e).
- Cela m'étonne !
- Je suis stupéfait(e) !
- Quelle (bonne ≠ mauvaise) surprise !
- Ça alors !
- Ce n'est pas vrai !
- Ce n'est pas possible !
- Incroyable !

1 Compréhension. Vrai ou faux ?

	VRAI	FAUX
1. Jane ne savait pas qu'il y avait une fête ce soir.	☐	☐
2. Alain est très content de voir Jane.	☐	☐
3. C'est une surprise pour Jane.	☐	☐

2 Grammaire et vocabulaire. **Complétez par le nom correspondant au verbe en italique.**

1. Il *arrive* demain, mais il ne m'a pas dit l'heure de son _____.

2. Elle *décide* tout, elle prend toutes les _____.

3. Je voudrais *sortir* du magasin, je cherche la _____.

4. Le train va *partir* bientôt. À quelle heure est le _____ ?

5. Cette entreprise *se développe*. Son _____ est remarquable.

3 Vocabulaire. **Que se passe-t-il ? Décrivez les situations.**

1. _____ **2.** _____

4 Communication. **Complétez par une expression de surprise (variez les structures).**

1. Natacha vient à la fête ! _____ !

2. Gaspard et Margot vont se marier ! _____ !

3. Théo est parti vivre en Alaska ! _____ !

4. Ma grand-mère commence à faire du ski ! _____ !

5. Kevin n'est pas encore arrivé ! _____ !

6. Mon voisin ne m'a pas dit bonjour ce matin ! _____ !

5 À vous ! **Avez-vous déjà eu une grande et bonne surprise ? Laquelle ?**

_____

34 Exprimer la certitude ou l'incertitude

1 Entre deux mères 🎧 51

Madame Descamps : Alors, comment s'est passée la rentrée ?

Madame Sabatier : Bien ! Ma fille est en 4ᵉ, mais mon fils a redoublé sa terminale. Et vous ?

Mme Descamps : Eh bien, ma fille a eu le bac* en juin, et elle entre en fac* en octobre. J'espère que tout ira bien !

Mme Sabatier : J'en suis sûre ! Elle a toujours été une bonne élève, non ? Et votre fils ?

Mme Descamps : Thibaut ? Oh, lui, **il sait** ce qu'il veut faire. Il veut travailler, il veut être pâtissier !

Mme Sabatier : C'est un très beau métier !

Mme Descamps : C'est vrai, et **ce qui est certain, c'est qu**'il trouvera facilement du travail dans ce domaine.

Grammaire

« Ce qui », « ce que »

■ **« Ce qui »**

Ce qui est vrai, c'est que Paul est gentil.

Nous pouvons partir, **ce qui** est difficile.

Ce qui est intéressant, c'est de visiter le musée.

■ **« Ce que »**

Il sait **ce qu**'il veut faire.

Je dis **ce que** je pense.

Elle fait **ce qu**'elle dit.

Ce que j'aime, c'est aller au cinéma.

Vocabulaire

- aller/être à l'école maternelle, à l'école primaire, au collège, au lycée
- être/passer en 6, 5ᵉ, terminale…
- entrer en fac*
- redoubler une classe
- être dans la même classe que…
- passer un examen, puis…
  … le réussir, l'avoir
  … ≠ le rater, échouer à l'examen
- faire des études de (mathématiques, philosophie…)

Manières de dire

- Je suis sûr(e) que…
- Je suis certain(e) que…
- Il va…
- Bien sûr, il…, elle…
- C'est vrai.

- C'est sûr.
- C'est certain.
- Ce qui est certain, c'est que…
- C'est confirmé.

Remarques de vocabulaire. 1. La « fac* » = la faculté = l'université. – **2.** « La rentrée » est le premier jour de l'école après les vacances, et, finalement, toute la période (septembre-octobre) qui suit les grandes vacances d'été.

1 Compréhension. **Vrai ou faux ?**

	VRAI	FAUX
1. Le fils de Madame Sabatier a eu le bac.	☐	☐
2. Thibaut veut faire des études universitaires.	☐	☐
3. Thibaut trouvera du travail.	☐	☐

2 Grammaire. **Complétez par « ce qui » ou « ce que ».**

1. Il ne sait pas _____ il veut.

2. _____ est agréable, c'est de faire une promenade.

3. Elle va déménager, _____ va être intéressant.

4. _____ nous voulons, c'est faire des études.

5. Elle dit _____ elle pense.

6. _____ est certain, c'est qu'ils vont redoubler la seconde.

7. _____ il aime, c'est organiser des fêtes.

8. _____ est bien, c'est qu'elle a trouvé un travail intéressant.

3 Vocabulaire. **Associez, pour constituer une phrase complète.**

1. Il a eu le bac, donc

2. Elle a fini sa première, donc

3. Elle entre en fac, donc

4. Il a fini sa terminale, mais

5. Elle a raté son bac, donc

a. elle fait des études universitaires.

b. elle redouble sa terminale.

c. il peut entrer en fac.

d. elle entre en terminale.

e. il a raté son bac.

4 Communication. **Répondez librement, en exprimant une certitude.**

1. Votre fils va réussir son bac ? — _____

2. Elle voudrait faire des études ? — _____

3. Il entre en fac ? — _____

4. Tu penses qu'elle va venir ? — _____

5. La rentrée est le 5 septembre ? — _____

5 À vous ? **Êtes-vous sûr(e) de certaines choses ? Avez-vous des projets clairs ? Lesquels ?**

_____

_____

_____

_____

© CLE International 2013. La photocopie non autorisée est un délit.

2 **Enquête policière** 🎧 52

Le policier : Est-ce que vous pouvez me donner votre emploi du temps de lundi dernier ?

Thierry : Euh… **je ne me rappelle pas bien.** Je suis resté à la maison, **je crois.**

Le policier : Vous n'êtes pas sorti ?

Thierry : Ah si ! Je suis sorti quelques minutes, pour faire une course.

Le policier : À quelle heure, précisément ?

Thierry : Dans l'après-midi, **probablement** vers cinq heures et demie.

Le policier : Vous avez parlé à quelqu'un ?

Thierry : Euh… **non, je ne crois pas…**

Le policier : Vous avez entendu du bruit, dans l'appartement d'à côté ?

Thierry : Il me semble que j'ai entendu parler fort, **peut-être même** crier…

Le policier : Vous n'avez pas bougé ? Vous n'avez pas téléphoné à la police ?

Thierry : Non, je croyais que c'était juste une dispute…

Grammaire

Les tournures impersonnelles

Il y a   + *nom*
Il faut   + *nom*
              + *infinitif*
              + *que* + *subjonctif*
Il est important, essentiel… que + *subjonctif*
Il (me) manque + *nom*
Il me semble   + *que* + *indicatif*
Il reste   + *nom*
Il suffit de   + *infinitif* ou
               + *nom*
Il arrive   + *que* + *subjonctif*
Il est l'heure + *de* + *infinitif*
               + *que* + *subjonctif*
Il fait beau, froid, chaud, 15°…, il pleut, il neige.

Vocabulaire

- faire du bruit ≠ rester silencieux
- parler fort ≠ à voix basse
- être bavard = aimer parler
  ≠ se taire
- bavarder
- avoir une conversation (avec…)
- discuter, avoir une discussion (avec…)
- se disputer, avoir une dispute
- crier, pousser un cri

Manières de dire

- Je ne sais pas trop…
- Je ne suis pas sûr(e).
- Je ne suis pas certain(e).
- Peut-être…
- Probablement…
- Je crois que…
- Il me semble que…

- Ce n'est pas sûr.
- Ce n'est pas certain.
- Peut-être même…
- C'est probable.
- Je ne crois pas.
- Je ne me rappelle pas bien = Je ne me souviens pas bien.

1 Compréhension. Vrai ou faux ?

	VRAI	FAUX
1. Thierry est allé acheter quelque chose, lundi dernier.	☐	☐
2. Thierry a entendu du bruit dans l'appartement.	☐	☐
3. Thierry a téléphoné à la police.	☐	☐

2 Grammaire. Complétez par le verbe approprié.

1. Il ne _____ pas chaud, aujourd'hui !

2. Le groupe est de six personnes, et nous sommes cinq. Il _____ quelqu'un.

3. Il _____ un visa pour aller au Japon.

4. Nous avons acheté six gâteaux. Nous en avons mangé quatre, il en _____ deux.

5. Parfois, il _____ d'une erreur pour provoquer une catastrophe !

6. Parfois, je ne fais pas attention, et il _____ que j'oublie mes clés !

3 Vocabulaire. Associez, pour constituer une phrase complète.

1. Il aime beaucoup parler,	**a.** agréable.
2. Le soir, il ne faut pas	**b.** ce sujet.
3. Les enfants	**c.** il est bavard.
4. La conversation était	**d.** trop fort.
5. Il parle	**e.** faire de bruit.
6. Nous avons longuement discuté de	**f.** se disputent tout le temps.

4 Communication. Répondez en exprimant l'incertitude. Variez les expressions.

1. Il viendra au rendez-vous ? — _____

2. Elle est d'accord avec vous ? — _____

3. Le match a lieu mardi soir ? — _____

4. Qu'est-ce que tu préfères ? — _____

5. C'est une bonne idée ?   — _____

6. Ils ont pris une décision ?   — _____

5 À vous ! Un crime a eu lieu dans votre immeuble. Les policiers vous demandent d'expliquer votre emploi du temps d'hier. Vous le faites, mais tout n'est pas très précis. Imaginez et jouez le dialogue.

_____

_____

Décrire

Au commissariat de police

Le policier : Vous pouvez décrire l'individu ?

Le gardien : Il était assez grand, brun, il portait un anorak bleu foncé, **il marchait d'une manière** un peu bizarre.

Le policier : Il portait des lunettes ?

Le gardien : Non, quand je l'ai vu entrer dans l'immeuble, il ne portait pas de lunettes. Mais quand il est sorti, il portait des lunettes de soleil, c'est bizarre.

Le policier : Vous lui avez parlé ?

Le gardien : Oui, un tout petit peu. Quand il est arrivé, il m'a demandé à quel étage habitait madame Rabeau. C'est tout.

Le policier : Il avait un accent particulier ?

Le gardien : Non, je n'ai rien remarqué de spécial.

Grammaire

Imparfait – passé composé

Quand il est arrivé, il ne portait pas de lunettes.
Quand je suis sorti, il faisait beau.
Quand Julie est arrivée, je travaillais.
Il lisait tranquillement, quand, soudain, le téléphone a sonné.

Vocabulaire

- grand ≠ petit
- de taille moyenne
- mince ≠ gros, corpulent
- souple ≠ raide
- avoir les cheveux bruns, gris, blonds, roux, blancs, longs, courts…
- avoir les yeux bleus, gris, verts, bruns, noirs
- avoir un grand ≠ petit nez
- porter des lunettes, une barbe, une moustache…

Manières de dire

- Il/elle est   + *adjectif*
- Il/elle a l'air   + *adjectif*
- Il/elle porte…
- Il/elle a…

- Il/elle est très   + *adjectif*
- Il/elle est assez   + *adjectif*

1 Compréhension. Vrai ou faux ?

	VRAI	FAUX
1. Le gardien porte des lunettes.	☐	☐
2. Le gardien a parlé avec l'individu.	☐	☐
3. L'individu avait un accent bizarre.	☐	☐

2 Grammaire. Complétez à l'imparfait ou au passé composé, selon le cas.

1. Quand nous _____ du cinéma *(sortir)*, il _____ *(pleuvoir)*.

2. Quand elle _____ au bureau *(arriver)*, elle _____ l'air contente *(avoir)*.

3. Il _____ le bus *(attendre)* quand, soudain, il _____ un accident *(voir)*.

4. Les enfants _____ la télévision *(regarder)* quand les parents _____
de leur soirée *(revenir)*.

5. Quand je _____ dans la salle *(entrer)*, tout le monde _____
du champagne *(boire)*.

6. Quand j'_____ l'examen *(passer)*, je _____ très bien mon sujet *(connaître)*.

3 Vocabulaire. Décrivez les personnes suivantes.

1. _____
_____
_____
_____

2. _____
_____
_____
_____

3. _____
_____
_____
_____

1.   2.   3.

4 Vocabulaire et communication. Faites une description de vous-même et de votre meilleur(e)
ami(e).

5 À vous ! Vous avez vu un accident ou un vol. Vous expliquez la situation
et vous décrivez les personnes à un agent de police.

36 — Faire des compliments

Un dîner entre amies

Claire : **Qu'il est beau,** ce collier ! D'où est-ce qu'il vient ? **Ces couleurs sont magnifiques.**

Lise : Je crois que ça vient d'Afrique. C'est un cadeau.

Claire : **C'est splendide. Ça te va très bien.**

Lise : Merci… Et toi, **tu as toujours de belles écharpes** ! Je ne la connais pas, celle-là ! Qu'elle est belle ! Où est-ce que tu l'as trouvée ?

Claire : Oh, dans une petite boutique, à côté de chez moi.

Lise : **Que tu es élégante** ! Cette couleur te va très bien ! En plus, **ça va très bien avec** ton manteau…

Claire : Si je comprends bien, nous sommes belles, nous sommes élégantes… et nous allons certainement bien manger ce soir… car **le dîner sent bon et a l'air délicieux…**

Lise : *(rires)*

Grammaire

Quelques adverbes

Les adverbes se placent en général après le verbe conjugué.

1. adjectif au féminin + « -ment »
certain<u>e</u>ment lent<u>e</u>ment douc<u>e</u>ment

2. vraiment gentiment

3. appar<u>en</u>t appar<u>e</u>mment
cour<u>an</u>t cour<u>a</u>mment

4. bien ≠ mal
Il comprend bien ≠ mal.

5. Exception : Ça sent bon ≠ mauvais.

Vocabulaire

- **les bijoux**
  une bague, un collier, un bracelet, des boucles d'oreilles, une broche, une chaîne et un pendentif

- **les accessoires**
  une écharpe, des gants, un chapeau, une ceinture, un sac à main

- **les matières**
  l'or, l'argent, le cuir, le plastique, le coton, la soie, la laine…

Manières de dire

- Que c'est… ! Que tu es… ! Que vous êtes… !
- Comme c'est… !
- Ça te va bien ! Ça vous va bien !
- Il est joli, ton appartement ! *(style familier)*
- Elle est belle, cette robe ! *(style familier)*
- Ça sent bon !
- Ça a l'air bon ! < Ça a l'air délicieux !

1 Compréhension. Vrai ou faux ?

	VRAI	FAUX
1. Lise a un très joli collier.	☐	☐
2. Claire aime porter des bijoux.	☐	☐
3. Les deux amies vont manger ensemble.	☐	☐

2 Grammaire. Complétez par l'adverbe correspondant.

1. Elle s'habille avec élégance, elle s'habille _____.

2. C'est un film récent, je l'ai vu _____.

3. Le repas était très bon, j'ai _____ mangé.

4. L'explication est claire, il a expliqué _____ la situation.

5. Elle conduit avec prudence, elle conduit _____.

6. Il parle avec douceur, il parle _____.

7. Le plat a l'air bon, il sent _____.

8. Ils répondent avec politesse, ils répondent _____.

3 Vocabulaire. Complétez les légendes.

1. _____   **2.** _____   **3.** _____   **4.** _____

5. _____   **6.** _____   **7.** _____   **8.** _____

4 À vous ! Vous faites des compliments à vos amis sur leurs vêtements, leur appartement, leur jardin, le dîner qu'ils ont préparé... Imaginez et jouez les dialogues.

Féliciter

Parler des autres

Bonnes nouvelles !

Margot : Vous savez, j'ai deux nouvelles à vous annoncer !

Élodie : Bonnes ou mauvaises ?

Margot : Deux bonnes nouvelles ! La première, c'est que j'ai eu mon permis de conduire !

Élodie : Bravo ! Je te félicite !

Quentin : Je suis content pour toi ! C'est bien d'être indépendante.

Margot : La deuxième, c'est que Gaspard et moi, nous allons nous marier !

Élodie : C'est vrai ? **Tous mes vœux de bonheur**, alors !

Quentin : Ça, c'est une surprise ! **Toutes mes félicitations**… Tu es vraiment sûre de ta décision ?

Grammaire

« Tout » = toutes les choses

■ **« Tout » pronom indéfini**
Elle sait tout. Il voit tout.
Tout est prêt. Tout va bien.

■ **« Tout/toute/tous/toutes » adjectif indéfini**
Tout le monde comprend.
Toute la famille est là.
Tous mes amis sont invités.
Toutes ces décisions sont bonnes.

Vocabulaire

- la vie et la mort
- naître ≠ mourir
- il est né en… ≠ il est mort en…
- passer son enfance en…
- rencontrer quelqu'un
- se marier ≠ divorcer
- le mariage ≠ le divorce
- avoir des enfants
- adopter des enfants
- devenir grand-père, grand-mère
- avoir des petits-enfants
- vieillir
- prendre sa retraite

Manières de dire

- Bravo* !
- Je suis content(e) pour toi ! pour vous !
- Je te/vous félicite !
- Je suis fier de toi !
- Félicitations ! Toutes mes félicitations !
- Tous mes vœux de bonheur !

A C T I V I T É S

1 Compréhension. Vrai ou faux ?

	VRAI	FAUX
1. Margot va pouvoir conduire une voiture.	☐	☐
2. Élodie et Quentin savaient que Gaspard et Margot allaient se marier.	☐	☐

2 Grammaire. Complétez par « tout/toutes/tous/toutes », selon le cas.

1. _____ mes félicitations !

2. Elle a pris _____ ses livres.

3. Nous avons discuté _____ la soirée.

4. Il a passé _____ son enfance dans le Midi.

5. _____ est arrangé.

6. _____ le monde sait pourquoi il est parti.

7. _____ mes vœux pour la nouvelle année !

8. Il a _____ mangé.

9. _____ les petites routes sont jolies.

10. _____ va bien !

3 Vocabulaire et grammaire. « La vie de Léon. » Complétez par les verbes appropriés au passé composé.

1. Léon _____ le 6 août 1908.

2. Il _____ son enfance à la campagne.

3. Il _____ sa femme Simone pendant le bal du 14 juillet 1929.

4. Simone et Léon _____ le 3 mai 1930, à la mairie, puis à l'église.

5. Ils _____ trois enfants.

6. Quand les enfants sont partis, Simone et Léon ne sont pas restés ensemble, ils _____.

7. Léon _____ grand-père, il _____ quatre petits-enfants.

8. Finalement, le 4 septembre 2000, Léon _____ à l'âge de 92 ans. Il a eu une belle vie.

4 Communication. Que répondez-vous aux nouvelles suivantes ?

1. « J'ai réussi mon baccalauréat ! »

2. « Nous avons eu un bébé ! »

3. « J'ai obtenu une bourse pour aller faire des études en Allemagne ! »

4. « J'ai enfin trouvé un travail ! »

5. « Nous avons trouvé la maison de nos rêves ! »

5 À vous ! Vous annoncez une bonne nouvelle à des amis. Imaginez et jouez le dialogue.

Consoler et encourager

Parler des autres

Après un match

Marius : Quelle horreur ! J'ai mal joué, c'était terrible !

Serge : Mais non, tu as bien joué ! Ton adversaire était plus en forme que toi, c'est tout !

Marius : Je suis un mauvais joueur, je vais arrêter. C'est la deuxième fois que je suis battu en un mois !

Serge : Mais non, tu es fou ! Tu es un bon joueur, **tu n'as pas eu de chance** aujourd'hui, c'est tout ! En plus, le match était mal organisé.

Marius : Tu n'as rien vu ! J'ai horriblement mal joué !

Serge : Pas du tout, j'ai vu la totalité du match. Tu n'étais pas très en forme, c'est vrai, mais **ce n'est pas grave,** tu vas gagner la prochaine compétition. **Ce n'est pas un drame !** Cela fait partie du sport, non ?

Marius : Hum…

Serge : Allez, du courage ! Tu vas retourner à l'entraînement, travailler, te concentrer, et **tout ira mieux la prochaine fois !**

Grammaire

L'expression du passif

Verbe « être » + participe passé.
Le livre **est écrit** par Joël.
La maison **a été construite** l'an dernier.
Le match **sera transmis** à la télévision.
La boutique **était fermée**.

Vocabulaire

- faire partie d'une équipe, d'un club
- s'entraîner avec un entraîneur
- avoir* un entraînement
- préparer un match, une compétition
- participer à un match, un championnat
- gagner ≠ perdre, être battu(e)
- bien jouer ≠ mal jouer
- être un bon joueur ≠ un mauvais joueur
- être concentré(e)
- être en forme ≠ ne pas être en forme
- avoir de la chance

Manières de dire

- Mon pauvre, ma pauvre !
- C'est dommage !
- Mais non, tu n'as pas mal joué / parlé…
- Ce n'est pas grave !
- Ce n'est pas un drame !

- Allez !
- Du courage !
- Ça ira mieux la prochaine fois !
- Tu verras, ça va marcher !

ACTIVITÉS

1 Compréhension. Vrai ou faux ?

	VRAI	FAUX
1. C'est la deuxième fois que Marius perd.	☐	☐
2. Marius était en pleine forme pendant le match.	☐	☐
3. Serge pense que Marius est un bon joueur.	☐	☐

2 Grammaire. Mettez les phrases à la voix passive, en conservant le temps du verbe.

1. Gilles organisera une réunion. → La réunion _____.

2. Luc bat Joël au tennis.   → Joël _____.

3. Nicolas a pris une décision.   → La décision _____.

4. Grégoire a fait un rapport.   → Le rapport _____.

5. Louise attend Julien.   → Julien _____.

6. Des milliers de spectateurs regardent le match.   → Le match _____

_____.

7. La presse annonce la nouvelle.   → La nouvelle _____.

8. L'architecte a construit le château. → Le château _____.

3 Vocabulaire. Choisissez la bonne réponse.

1. Un sportif doit | s'entraîner | entraîner | régulièrement.

2. Il voudrait | préparer | participer | à une compétition.

3. Il est important d'être en | chance | forme | pour être un bon sportif.

4. L'équipe des Blancs a | battu | perdu | le match.

5. Philippe fait partie d'un | club | entraînement | .

4 Communication. Associez une phrase et la réponse.

1. — J'ai perdu le match, c'est terrible !   **a.** — Mon pauvre, c'est dommage !

2. — Je n'ai pas pu participer à la compétition,
j'ai été malade.   **b.** — Allez, du courage ! Continue !

3. — Je ne pourrai jamais gagner !   **c.** — Mais non, ce n'est pas un drame de perdre !

4. — Cette fois-ci, j'ai vraiment mal joué !   **d.** — Mais si, tu verras, tu vas gagner !

5. — C'est trop fatigant, je ne peux plus continuer !   **e.** — Tu joueras mieux la prochaine fois !

5 À vous ! Un(e) de vos ami(e)s a raté un examen. Il/Elle pense qu'il/elle ne pourra jamais réussir.
Vous le/la consolez de son échec et vous l'encouragez à continuer. Imaginez et jouez le dialogue.

39

Critiquer

◼ À la sortie d'un match

Jean-Pierre : Alors, comment tu as trouvé le match ?

Benoît : C'était nul ! Quel ennui !

Jean-Pierre : C'est parce que Julien a changé la composition de l'équipe. **C'est une véritable catastrophe** !

Benoît : C'est vrai, **ils perdent toujours. Ils sont mous, passifs**…

Jean-Pierre : En plus, **ils font beaucoup de fautes.** Deux cartons jaunes et un carton rouge dans la même soirée, c'est beaucoup !

Benoît : Et tu as vu quand Renaud a raté la remise en jeu ? J'en suis encore malade…

Jean-Pierre : Ils n'ont même pas marqué un but ! 3 à 0 !

Benoît : Puisqu'ils sont si mauvais, je vais arrêter d'aller voir leurs matchs !

▬ Grammaire

Expression de la cause

◼ **« Parce que » + phrase**

Cause inconnue

Il joue mal **parce qu'**il est fatigué.

◼ **« À cause de » + nom**

Cause inconnue

Il joue mal à cause de sa fatigue.

◼ **« Comme » + phrase = « puisque » + phrase**

Cause connue : en début de phrase

Puisque le joueur a fait une faute, il a reçu un carton jaune.

Comme il est fatigué, il joue mal.

▬ Vocabulaire

- le foot(ball)
- un terrain de foot
- jouer au football
- un arbitre, un joueur, un footballeur
- un gardien de but
- lancer le ballon, rattraper le ballon
- être hors jeu
- siffler un penalty
- marquer un but
- avoir* = recevoir un carton jaune, rouge

Manières de dire

- C'est mauvais ! C'est très mauvais !
- C'est nul !*
- C'est une catastrophe !*
- Ils n'ont même pas…
- Ils sont passifs… mous…
- C'est ennuyeux ! (≠ intéressant)
- Quel ennui !
- C'est raté !

1 Compréhension. Vrai ou faux ?

	VRAI	FAUX
1. L'équipe n'est plus la même.	☐	☐
2. L'équipe a marqué seulement un but.	☐	☐

2 Grammaire. Complétez les phrases en utilisant une expression de cause. Variez les tournures.

1. Valérie n'est pas là *(malade)* → _____

2. Aude et Benjamin sont en retard *(grève de transport)* → _____

3. Le train est en retard *(travaux sur la voie)* → _____

4. Le match a été annulé *(pluie)* → _____

5. Grégoire est content *(permis de conduire)* → _____

3 Vocabulaire. Complétez.

1. C'est _____ qui siffle le penalty.

2. Le joueur est content, il vient de _____ un but.

3. Le _____ de but n'a pas réussi à rattraper le ballon.

4. Le joueur a fait une faute très grave, il a reçu un _____ _____.

5. Pierre _____ le ballon à un joueur, qui le _____.

6. Dans cette ville, il y a un grand _____ de foot.

4 Communication. Parmi les expressions suivantes, dites lesquelles permettent de critiquer.

1. Ce n'est pas ennuyeux ! ☐

2. C'est raté ! ☐

3. Quel ennui ! ☐

4. C'est super ! ☐

5. C'est nul ! ☐

6. C'est très mauvais ! ☐

7. Ils jouent mal. ☐

5 À vous ! Vous avez vu un spectacle (ou un match) qui était, selon vous, mauvais. Faites des critiques en variant les tournures.

_____

_____

_____

_____

40 Exprimer l'admiration

À la sortie d'un spectacle

Nadège : Alors, qu'est-ce que tu as pensé du spectacle ? Tu as aimé ?

Bruno : Ah oui ! Quel spectacle **extraordinaire** ! **C'était magnifique !**

Nadège : Oui, **c'était splendide** !

Bruno : C'était **remarquablement bien joué**, tu ne trouves pas ?

Nadège : Oui, les acteurs sont excellents.

Bruno : Quel talent ! Ils savent tout faire ! Je ne sais pas comment ils font… Ils dansent, ils chantent, ils jouent la comédie… Pourtant, ce ne sont pas des professionnels !

Nadège : Comme toi !

Grammaire

Expression de l'opposition

Il n'est pas professionnel,

… **mais** il joue bien **quand même**.

… **pourtant** il joue bien.

- **« Bien que » + subjonctif**
  Bien qu'il ne soit pas professionnel, il joue bien.

- **« Alors que » + indicatif**
  Il joue bien, **alors qu'**il n'est pas professionnel.

- **« Malgré » + nom**
  Il joue bien **malgré** son manque de professionnalisme.

Vocabulaire

Le spectacle

- un spectacle (de danse, de théâtre…)
- une représentation d'une pièce de théâtre
- les spectateurs = le public
- aller au théâtre, au concert…
- avoir une place au premier rang, au cinquième rang, au dernier rang
- avoir des places pour le spectacle de…
- un acteur (de théâtre, de cinéma) joue un rôle
- une troupe de théâtre
- un metteur en scène…
- une mise en scène… classique ≠ d'avant-garde
- Le public applaudit. On entend les applaudissements.

Manières de dire

- C'est extraordinaire ! Merveilleux !
- Je le/la/les trouve fantastique(s), fabuleux(-euse(s)), splendide(s) !
- C'est génial !
- Il/Elle joue très bien, il chante très bien, il danse remarquablement bien !
- Quel talent !
- C'est du génie !
- Quelle perfection !

1 Compréhension. Vrai ou faux ?

VRAI FAUX

1. Bruno jouait dans le spectacle. ☐ ☐
2. Les artistes étaient des amateurs. ☐ ☐

2 Grammaire. Complétez les phrases en exprimant l'opposition. Variez les tournures.

1. Ils feront une promenade → *(mauvais temps)* _____

2. Sébastien ne parle pas allemand → *(il habite en Allemagne)* _____

3. Bertrand ne répond pas aux mails → *(j'ai écrit trois fois)* _____

4. L'équipe a perdu le match → *(c'est une bonne équipe)* _____

5. Le film n'est pas bon → *(avec de grands acteurs)* _____

6. Le spectacle est excellent → *(c'est une petite troupe inconnue)* _____

3 Vocabulaire. Complétez.

1. C'est une _____ de théâtre assez connue.

2. J'ai deux _____ pour la _____ de demain soir. Tu veux venir ?

3. Les _____ sont très contents du spectacle, ils _____.

4. Louis Jouvet était un très grand _____ de théâtre.

5. Nous avons des places au cinquième _____.

6. Est-ce que tu aimes _____ au théâtre ?

4 Communication. Parmi les phrases suivantes, dites lesquelles expriment l'admiration.

1. Quel ennui ! ☐
2. Quel talent ! ☐
3. C'est génial ! ☐
4. C'est nul ! ☐
5. C'est merveilleux ! ☐
6. C'est raté ! ☐

5 À vous ! Vous avez vu un spectacle, un match, un concert, que vous avez beaucoup aimés. Exprimez votre admiration pour les artistes ou les sportifs en variant les tournures.

_____

_____

_____

_____

Activités communicatives

1 Trouver son chemin 🎧 59

David : Pardon, madame, je cherche la rue Jean-Mermoz. C'est par ici ?

Une passante : Euh… La rue Jean-Mermoz ? Oui, c'est par ici, mais je ne sais pas exactement où c'est… Je crois que c'est tout droit. Demandez à quelqu'un d'autre. Je suis désolée, je ne suis pas du quartier.

David : Pardon, monsieur, vous savez où est la rue Jean-Mermoz ?

Un passant : La rue Jean-Mermoz ? Oui, vous prenez tout droit, vous allez jusqu'au boulevard. Vous traversez le boulevard…

David : Toujours tout droit ?

Un passant : Oui, oui, et vous allez voir la rue Jean-Mermoz sur votre gauche.

David : Après le boulevard, c'est la première à gauche ?

Un passant : Oui, la première ou la deuxième… Je ne suis pas sûr… Je crois que c'est la première.

David : C'est loin d'ici ?

Un passant : Non, c'est à quelques minutes à pied.

David : Merci, monsieur.

1 Compréhension. Vrai ou faux ?

	VRAI	FAUX
1. La passante n'habite pas dans le quartier.	☐	☐
2. Le passant ne connaît pas la rue Jean-Mermoz.	☐	☐
3. La rue Jean-Mermoz se trouve après le boulevard.	☐	☐
4. Le passant est certain que c'est la deuxième à gauche.	☐	☐
5. La rue Jean-Mermoz n'est pas loin d'ici.	☐	☐

2 Communication. Complétez le dialogue de manière logique.

1. Pardon, madame, vous êtes du quartier ?

   – _____

2. Vous connaissez un petit restaurant bon et pas cher ?

   – _____

3. C'est par là ?

   – _____

4. C'est loin d'ici ?

   – _____

5. Merci, madame.

   – _____

3 Vocabulaire. Choisissez la bonne réponse.

1. Où est-ce que je peux ⬚ trouver ⬚ chercher un dictionnaire français-polonais ?

2. Nous ⬚ passons ⬚ cherchons l'entrée du parking !

3. Vous ⬚ faites ⬚ prenez la deuxième rue à droite.

4. Tu ⬚ fais ⬚ vas trois kilomètres, puis tu tournes à gauche.

5. C'est tout ⬚ loin ⬚ près !

4 À vous ! Vous expliquez à un(e) ami(e) le chemin pour venir chez vous.

2 Où est ma clé ? (60)

Armelle : Tanguy, tu es là ? Je ne trouve plus la clé de la voiture !

Tanguy : J'arrive, ma chérie. Elle n'est pas dans ton sac à main ?

Armelle : Mais non, je viens de vider mon sac ! J'ai cherché partout ! C'est une catastrophe !

Tanguy : Calme-toi, Armelle… Quand est-ce que tu l'as utilisée la dernière fois ?

Armelle : Eh bien… Hier, je crois, quand je suis allée chercher les enfants à l'école.

Tanguy : Et après, qu'est-ce que tu as fait ? Tu es rentrée à la maison, tu as fermé la voiture avec ta clé…

Armelle : Oui, je crois… Je ne suis pas sûre, mais…

Tanguy : À mon avis, tu n'as pas perdu la clé. Elle est tombée dans le garage, à côté de la voiture. Ou alors, elle est dans la poche de ton manteau.

Armelle : Tu as raison. Je vais d'abord chercher dans mon manteau. Non, elle n'y est pas…

Tanguy : Tu as aussi regardé sur la table de l'entrée, sous les papiers ?

Armelle : Ah oui, c'est une idée, je vais voir. Ah, elle est bien sur la table ! Ouf, j'ai eu peur…

Tanguy : Ma chérie, je crois que ce n'est pas la première fois, non ?

Armelle : En effet… Je suis tellement étourdie !

---

1   **Compréhension. Répondez aux questions.**

1. D'après vous, quelle est la relation entre Tanguy et Armelle ? Pourquoi ?

2. Où est-ce qu'Armelle a cherché sa clé ?

3. Qu'est-ce qu'Armelle a fait, hier ?

4. Où se trouvait la clé, finalement ?

5. Est-ce qu'Armelle perd souvent des objets ?

---

2   **Grammaire et vocabulaire. Complétez par la préposition appropriée.**

1. Les enfants sont rentrés _____ la maison.

2. Yasmina a mis un paquet de mouchoirs _____ son sac à main.

3. Véronique a posé son téléphone mobile _____ la table de la cuisine.

4. Le chat s'est caché _____ le lit.

5. Le père va chercher les enfants _____ l'école.

---

3   **Vocabulaire. Choisissez la bonne réponse.**

1. À mon | opinion | avis |, tu as laissé ton parapluie chez le médecin.

2. Vous avez | une idée | raison |, j'avais laissé mon stylo sur la table.

3. Je | crois | trouve | que j'ai oublié mon maillot de bain.

4. La clé est | bien | mal | dans mon sac.

---

4   **Communication. Répondez librement, par une phrase complète.**

1. Où se trouvent vos clés, en ce moment ?

2. Où est-ce que vous mettez vos clés de maison ou de voiture, en général ?

3. Qu'est-ce que vous avez dans vos poches, en ce moment ?

4. Est-ce que vous perdez souvent des objets ?

5. Est-ce que vous avez déjà perdu des clés ? Si oui, dans quelles circonstances ?

© CLE International 2013. La photocopie non autorisée est un délit.

3 Une fête d'anniversaire 🎧61

Elsa : Allô, Blandine ? Bonjour, c'est Elsa ! Ça va ?

Blandine : Oui, bonjour, Elsa. Ça va bien, merci. Quoi de neuf ?

Elsa : Tu sais, j'organise une grande fête pour les 30 ans de Julien. Ça se passera samedi 21 juin. Est-ce que tu veux venir ? Tu seras libre ?

Blandine : Oui, bien sûr, avec plaisir ! 30 ans, c'est un anniversaire important. Tu as invité beaucoup de monde ?

Elsa : Tous ses copains. Il me reste à contacter son cousin Jérémie.

(Plus tard)

Elsa : Allô, Jérémie ? C'est Elsa ! Dis-moi, tu seras disponible le 21 juin pour l'anniversaire de Julien ?

Jérémie : Ah zut ! Non, je suis pris, le 21 juin, c'est le mariage de Fanny ! Quel dommage !

Elsa : Tant pis ! Est-ce que tu veux participer au cadeau collectif ? Nous allons lui offrir un bel appareil photo. Combien est-ce que tu peux mettre ?

Jérémie : Je ne sais pas…

Elsa : Pour l'instant, chacun a mis 10 ou 20 euros.

Jérémie : Bon, d'accord pour 20 euros.

Elsa : Ça t'ennuierait de m'envoyer un chèque aujourd'hui ?

Jérémie : Non, pas du tout, je le fais tout de suite.

Elsa : Merci, c'est sympa. À bientôt, Jérémie !

Jérémie : Salut, Elsa.

1 Compréhension. Vrai ou faux ?

	VRAI	FAUX
1. Elsa organise une fête pour les 20 ans de Julien.	☐	☐
2. Blandine n'est pas prise le 21 juin.	☐	☐
3. Jérémie ne peut pas venir à l'anniversaire de Julien.	☐	☐
4. Jérémie va participer au cadeau pour Julien.	☐	☐

2 Communication. Que pouvez-vous répondre aux questions suivantes ?

1. Vous êtes libre samedi prochain ?

2. Vous voulez participer à un cadeau collectif ?

3. Vous voulez mettre combien ?

4. Quoi de neuf ?

5. Ça vous ennuierait de venir samedi au lieu de dimanche ?

3 Vocabulaire. Vrai ou faux ?

	VRAI	FAUX
1. Je suis libre = je suis disponible.	☐	☐
2. Avec plaisir = volontiers.	☐	☐
3. J'ai invité beaucoup de monde = j'ai invité toute la famille.	☐	☐
4. Je vais mettre 20 euros = ça m'ennuie de dépenser 20 euros.	☐	☐

4 Le pantalon n'est pas donné ! 🎧 62

La vendeuse : Madame, je peux vous renseigner ?

Annabelle : Oui, je cherche un pantalon noir.

La vendeuse : Celui-ci est très joli. Regardez !

Annabelle : Je ne vois pas le prix. Il est à combien ?

La vendeuse : Il était à 90 euros, mais il est en solde, à moins 30 %. Il est donc à 63 euros. Vous faites quelle taille ?

Annabelle : Je fais du 42.

La vendeuse : Je ne l'ai plus en 42. Mais essayez-le en 40, il taille grand. Venez avec moi, les cabines d'essayage sont au fond, là-bas. *(Quelques minutes plus tard)* Alors, ça va ?

Annabelle : Oh non, ça ne va pas du tout, il est beaucoup trop petit !

La vendeuse : En 42, j'ai un autre modèle dans le même style, mais il n'est pas en solde. Vous voulez le voir ?

Annabelle : Peut-être, oui… C'est vrai, il est très joli. Vous pouvez me dire le prix de ce pantalon ?

La vendeuse : 150 euros, mais il est magnifique… Essayez-le ! *(Quelques minutes plus tard)* Il vous va très bien ! La taille est parfaite, la forme aussi.

Annabelle : Oui, peut-être, mais je ne le prends pas, je vais réfléchir…

La vendeuse : Comme vous voulez, madame.

1 Compréhension. Vrai ou faux ?

	VRAI	FAUX
1. Annabelle ne connaît pas le prix du premier pantalon.	☐	☐
2. Le premier pantalon coûte 90 euros, maintenant.	☐	☐
3. Le premier pantalon ne va pas à Annabelle.	☐	☐
4. Annabelle n'aime pas du tout le deuxième pantalon.	☐	☐
5. Annabelle n'achète rien.	☐	☐

2 Communication. Qui parle ? Le vendeur/la vendeuse ou le/la client(e) ?

1. Je peux vous renseigner ?

2. C'est trop grand ?

3. Est-ce que vous avez ce modèle, dans ma taille ?

4. Est-ce que le manteau vous va ?

5. Quelle taille faites-vous ?

6. Ce pull est à combien ?

7. Est-ce qu'il est en solde ?

3 Communication. Répondez librement aux questions de l'exercice n° 2.

4 Communication. Que dites-vous dans les situations suivantes ?

1. Vous désirez essayer un vêtement.

2. Vous donnez votre taille à la vendeuse.

3. Le vêtement ne vous convient pas.

4. Finalement, vous n'achetez rien.

© CLE International 2013. La photocopie non autorisée est un délit.

5 Un emploi du temps difficile 🎧 63

La secrétaire : Cabinet du docteur Anglade, bonjour.

Le patient : Bonjour, madame. Je voudrais décommander mon rendez-vous avec le docteur Anglade, s'il vous plaît.

La secrétaire : Oui, vous êtes monsieur ?

Le patient : Blanchet, B.L.A.N.C.H.E.T.

La secrétaire : Monsieur Blanchet… Oui, vous aviez rendez-vous demain à 16 h 15. Vous ne voulez pas changer de jour ?

Le patient : Non, j'ai un empêchement, je dois partir en voyage professionnel pour plusieurs semaines. Je ne sais pas quand je serai de retour, je suis désolé.

La secrétaire : C'est noté, monsieur, votre rendez-vous est annulé.

Le patient : Merci. Au revoir, madame.

(Quelques minutes plus tard)

La secrétaire : Cabinet du docteur Anglade, bonjour.

La patiente : Bonjour, madame. Je voudrais changer mon rendez-vous avec le docteur Anglade. Est-ce que je peux le repousser à la semaine prochaine ?

La secrétaire : Vous me rappelez votre nom ?

La patiente : Oui, c'est madame Roussel, R.O.U.S.S.E.L. J'avais rendez-vous mercredi à 15 h 30.

La secrétaire : Madame Roussel… Oui, je vois. Alors, quel jour pouvez-vous venir ?

La patiente : Jeudi soir ou vendredi à partir de 16 heures.

La secrétaire : Eh bien, vendredi à 17h30, ça vous convient ?

La patiente : Oui, très bien. Je vous remercie.

---

1 Compréhension. Vrai ou faux ?

	VRAI	FAUX
1. Monsieur Blanchet avait rendez-vous demain après-midi.	☐	☐
2. Monsieur Blanchet veut remettre son rendez-vous.	☐	☐
3. Madame Roussel avait rendez-vous le matin.	☐	☐
4. Le médecin n'est pas disponible vendredi après-midi.	☐	☐

---

2 Vocabulaire. Complétez. Plusieurs solutions sont parfois possibles.

1. Je voudrais _____ l'heure de mon rendez-vous avec le dentiste.

2. Nous devons _____ le rendez-vous à la semaine prochaine.

3. Je suis désolé, j'ai un _____ , je ne peux pas venir à la réunion.

4. Elle doit _____ en voyage pour deux semaines.

5. Mardi à 14 h 30, ça vous _____ ?

---

3 Communication. Que dites-vous dans les situations suivantes ?

1. Vous voulez prendre rendez-vous avec un médecin.

2. Vous voulez changer l'heure du rendez-vous.

3. Vous voulez remettre le rendez-vous à un autre jour.

4. Vous annulez le rendez-vous.

6 Une mauvaise chute 🎧64

Madame Boyer : Bonjour, Jérôme ! Qu'est-ce qui vous est arrivé ?

Jérôme : Bonjour, madame Boyer. Eh bien, je me suis cassé le bras…

Madame Boyer : Comment vous avez fait ça ?

Jérôme : Tout simplement, en jouant avec les enfants. J'ai couru dans le jardin, je n'ai pas vu une pierre sur le chemin. J'ai glissé et je suis tombé. On m'a tout de suite transporté à l'hôpital.

Madame Boyer : Vous avez un plâtre pour combien de temps ?

Jérôme : Au moins quatre semaines… Ce n'est pas très commode, c'est le bras droit.

Madame Boyer : Oui, j'imagine. Mon pauvre… Si vous avez besoin d'aide, vous pouvez m'appeler. Je peux vous faire des courses.

Jérôme : C'est très gentil de votre part. Pour le moment, ma femme a pris une semaine de congé, car en plus, la petite est très enrhumée, elle tousse, elle éternue, elle ne dort pas.

Madame Boyer : C'est toujours comme ça… En tout cas, n'hésitez pas du tout à m'appeler, ça ne me dérange pas. Votre femme aussi doit être très fatiguée.

Jérôme : Je vais lui communiquer votre proposition. Je vous remercie beaucoup !

Madame Boyer : Je vous en prie, c'est tout à fait normal entre voisins !

1 Compréhension. Vrai ou faux ?

	VRAI	FAUX
1. Jérôme s'est cassé le bras gauche.	☐	☐
2. Il est tombé dans la rue.	☐	☐
3. Il doit garder un plâtre pendant plusieurs semaines.	☐	☐
4. Jérôme et sa femme ont une fille.	☐	☐
5. Madame Boyer habite à côté de chez Jérôme.	☐	☐

2 Grammaire. **Répondez librement en employant le gérondif (EN + participe présent).**

1. Comment est-ce que vous vous êtes coupé(e) ?

2. Quand est-ce que vous avez rencontré votre voisin ?

3. Comment est-ce que vous avez découvert ce restaurant ?

4. Comment est-ce que vous avez attrapé ce rhume ?

5. Quand est-ce que vous avez visité ce musée ?

3 Vocabulaire. **Choisissez la bonne réponse.**

1. | Je me suis | J'ai | cassé la cheville.

2. Qu'est-ce qui vous est | passé | arrivé | ?

3. Nous faisons les | cours | courses | au marché le samedi matin.

4. Il a | pris | fait | une semaine de congé pour s'occuper de ses enfants.

5. Je vous | prie | remercie | beaucoup de votre aide !

4 Communication. **Vous voyez dans la rue une personne qui tombe. Expliquez la situation et les conséquences.**

© CLE International 2013. La photocopie non autorisée est un délit.

7 À la poste 🎧65

Sami : Pardon, madame, où est-ce que je peux acheter des timbres ?

Une passante : Vous pouvez acheter des timbres à la poste ou dans un bureau de tabac. La poste est tout près d'ici, juste là, à droite, après la librairie.

Sami : Merci, madame. Je vais y aller.

(Quelques minutes plus tard, à la poste.)

Sami : Bonjour, monsieur, je voudrais dix timbres, s'il vous plaît.

L'employé : Un carnet de timbres, oui…

Sami : Qu'est-ce que c'est, « un carnet » ?

L'employé : Justement, dix timbres ! Et avec ceci ?

Sami : Je voudrais aussi envoyer un paquet au Maroc.

L'employé : Il vous faut un emballage ?

Sami : Oui, peut-être…

L'employé : Vous voyez, nous avons plusieurs tailles. L'emballage est déjà affranchi.

Sami : C'est-à-dire que c'est déjà payé ?

L'employé : Oui, vous achetez l'emballage avec le timbre dessus.

Sami : Même si mon paquet est lourd ?

L'employé : Oui, jusqu'à 7 kg.

Sami : Alors, je vais prendre le plus grand modèle.

L'employé : Voilà, monsieur. Il vous faut autre chose ?

Sami : Non, merci, ce sera tout.

1 Compréhension. **Vrai ou faux ?**

	VRAI	FAUX
1. Sami va acheter des timbres dans un bureau de tabac.	☐	☐
2. Il achète un carnet de timbres.	☐	☐
3. Il voudrait envoyer une lettre au Maroc.	☐	☐
4. Il va acheter un emballage pour faire son paquet.	☐	☐

2 Vocabulaire. **Complétez.**

1. Je dois mettre un _____ sur l'enveloppe.

2. Je voudrais envoyer un _____ qui pèse 5 kilos.

3. Un _____ , ce sont dix timbres.

4. La poste vend des _____ pour les paquets.

3 Communication. **Choisissez la bonne réponse.**

1. Où est-ce que nous | pouvons | voulons | acheter des timbres ?

2. Qu'est-ce que | c'est | vous avez | , un carnet ?

3. Il vous | veut | faut | autre chose ?

4. Ce sera | ceci | tout | ?

4 Communication. **Répondez librement aux questions.**

1. Où est-ce que je peux acheter des enveloppes ?

2. Est-ce qu'il vous faut des timbres ?

3. Qu'est-ce que c'est, « un carnet de timbres » ?

4. Il vous faut autre chose ?

8 Un appartement à louer (66)

Julien : Bonjour, madame. Je téléphone à propos de l'appartement à louer rue Diderot. Il fait combien de mètres carrés ?

La propriétaire : Il fait 53 mètres carrés. Il y a deux chambres, une salle de séjour, une cuisine et une salle de bains.

Julien : La cuisine est équipée ?

La propriétaire : Non, elle n'est pas équipée. Il y a juste un évier et des placards. Il faut que vous apportiez un réfrigérateur et une cuisinière.

Julien : Est-ce qu'il y a un balcon ?

La propriétaire : Oui, il y a un petit balcon où vous pouvez mettre une table et deux chaises.

Julien : Et le loyer est de combien ?

La propriétaire : Le loyer est de 670 euros par mois, charges comprises.

Julien : D'accord. Quand est-ce que je peux visiter l'appartement ?

La propriétaire : Vous êtes disponible cet après-midi ? Je serai à l'appartement à partir de 14 heures.

Julien : Eh bien, à 14h30, ce serait parfait.

La propriétaire : Vous me donnez vos coordonnées ?

Julien : Oui. C'est Julien Grumberg. Je vous donne aussi mon numéro de portable. C'est le 07 99 93 88 11.

La propriétaire : Très bien. L'adresse est 31, rue Diderot. Le code est B 1784. L'appartement est au 4e étage à gauche. Il y a un ascenseur.

Julien : Merci, madame. À tout à l'heure !

1 Compréhension. Vrai ou faux ?

	VRAI	FAUX
1. La cuisine de l'appartement n'a pas de placards.	☐	☐
2. Julien voudrait acheter l'appartement.	☐	☐
3. Il y a une table et deux chaises sur le balcon.	☐	☐
4. Julien peut visiter l'appartement aujourd'hui.	☐	☐
5. L'appartement n'est pas au rez-de-chaussée.	☐	☐

2 Vocabulaire. Complétez.

1. La maison _____ combien de mètres _____ ?

2. La _____ est équipée.

3. Le _____ est de 520 euros par mois.

4. La _____ de bains se trouve à droite.

5. Sur le _____ , vous pouvez mettre des fleurs et une petite table.

3 Communication. Répondez librement aux questions.

1. Vous me donnez vos coordonnées ?

2. Quelle est la surface de la maison ?

3. Vous êtes disponible, demain matin ?

4. Quand est-ce que je peux avoir un rendez-vous ?

© CLE international 2013. La photocopie non autorisée est un délit.

9 Au bureau (67)

Mélanie : Sophie, je pars en réunion, ça t'ennuierait de répondre à mon téléphone ? J'attends un appel urgent d'un client.

Sophie : D'accord, Mélanie. Tu me donnes les coordonnées de ton client ?

Mélanie : Elles sont là, sur mon bureau.

Adrien : Sophie, est-ce que vous pourriez me préparer le dossier Lemonnier ? J'ai rendez-vous avec madame Lemonnier dans un quart d'heure.

Sophie : Oui, Adrien, je vous prépare ça tout de suite.

Thomas : Sophie, je vais avoir besoin de vous. Je ne comprends rien à ce logiciel, vous le connaissez mieux que moi. Vous pouvez me montrer comment ça marche ?

Sophie : Un instant, Thomas ! Je ne peux pas être partout !

Thomas : C'est juste une petite question : qu'est-ce que je dois faire pour déplacer ce tableau ?

Sophie : Alors… vous sélectionnez le tableau, vous cliquez là, et puis là. C'est facile !

Thomas : Ah oui, c'est vrai, vous avez raison…

Mélanie : Ah finalement, la réunion est reportée, car Myriam est en retard, elle est bloquée à l'aéroport. Sophie, est-ce que le client a téléphoné ?

Sophie : Non !

Mélanie : Qu'est-ce que tu as ? Tu as l'air de mauvaise humeur…

1 Compréhension. Vrai ou faux ?

	VRAI	FAUX
1. Mélanie va aller voir de la famille.	☐	☐
2. Adrien a un rendez-vous dans quinze minutes.	☐	☐
3. Thomas est en train d'utiliser son ordinateur.	☐	☐
4. Sophie est en retard.	☐	☐
5. Sophie est énervée par ses collègues.	☐	☐

2 Vocabulaire. Complétez.

1. Le numéro de téléphone et l'adresse, ce sont les _____ de quelqu'un.

2. Un _____ , c'est un ensemble de documents.

3. Un _____ est un programme informatique.

4. Pendant une _____ , les collègues travaillent ensemble.

3 Communication. Imaginez la suite du dialogue entre Sophie et ses collègues.

4 Communication. Quelle(s) question(s) posez-vous quand vous demandez…

1. à quelqu'un de vous donner un numéro de téléphone ?

2. à un ami de vous montrer le fonctionnement d'un appareil ?

3. un petit service à un(e) collègue ?

4. de l'aide à un(e) ami(e) ?

5. à quelqu'un d'attendre quelques minutes ?

6. l'adresse et le numéro de téléphone de quelqu'un ?

Exercices oraux

1 Trouvez une réponse possible aux phrases suivantes.

1. Pardon, vous êtes du quartier ?
2. Bonjour, madame, je peux vous renseigner ?
3. C'est pour offrir ?
4. C'est à quel nom ?
5. Bonjour, monsieur, vous avez choisi ?
6. Je vais prendre une glace. Qu'est-ce que vous avez, comme parfums ?
7. Quelle taille faites-vous ?
8. Et comme boisson ?
9. Je suis absolument désolé !
10. C'est vous qui avez téléphoné, ce matin ?
11. Vous avez un dossier chez nous ?
12. Vous pouvez me donner vos coordonnées ?
13. Les fraises sont à combien ?
14. J'ai une grande nouvelle à vous annoncer : nous allons nous marier !
15. Vous vous intéressez à la politique ?
16. Qu'est-ce qui ne va pas ?
17. Oh là là ! Mais comment vous avez fait ça ?
18. Vous êtes libre, demain soir, pour dîner ?
19. Comment est-ce que tu as trouvé le spectacle ?
20. Est-ce que je peux apporter quelque chose ?
21. C'est de la part de qui ?
22. Oh monsieur, je suis absolument désolée !
23. Pardon, madame, je cherche la poste, s'il vous plaît.

2 Finissez les dialogues d'une manière logique.

1. Bonjour, madame, je voudrais deux croissants, s'il vous plaît.
— Oui, monsieur, et avec ceci ?
2. Est-ce que vous avez des tartes aux abricots ?
— Ah non, nous avons des tartes aux pommes, des tartes aux fraises et des tartes au citron.
3. Bonjour, madame, je voudrais offrir un petit bijou, s'il vous plaît.
— Oui, vous voulez mettre combien, à peu près ?
4. Bonjour, monsieur, je voudrais commander un plateau de fromages, s'il vous plaît.
— Oui, madame, pour quel jour et pour combien de personnes ?
5. Je vais prendre un steak frites, s'il vous plaît.
— Quelle cuisson ?
6. Bonjour, madame, je voudrais parler à Fanny Martinez, s'il vous plaît.
— Elle n'est pas là. Je peux prendre un message ?
7. Dis-moi, tu veux qu'on déjeune ensemble, demain ?
— Avec plaisir, mais demain, je ne peux pas, je suis pris.

8. Qu'est-ce que j'ai fait de mon portefeuille ?
— Il n'est pas dans ton sac ?
9. Mardi à 16h45, ça vous va ?
— Non, pas mardi. Un autre jour à la même heure.
10. Bonjour, madame, je voudrais trois croissants.
— Nous n'avons plus de croissants.
11. Madame, vous prendrez un dessert ?
— Peut-être. Qu'est-ce que vous avez, comme desserts ?
12. Vous avez ce modèle en 40 ?
— Non, je ne l'ai plus en 40.
13. Et si on allait au cinéma, ce soir ?
— Oh non, pas ce soir, je suis fatiguée…
14. J'ai deux places pour le théâtre ce soir, ça t'intéresse ?
— Ça dépend. Qu'est-ce que tu vas voir ?
15. Bonjour, madame, je voudrais quelque chose pour le mal de gorge, s'il vous plaît.
— Vous avez aussi de la fièvre ?
16. Bonjour, je suis bien chez Aurélie ?
— Ah non, vous avez fait erreur.

© CLE International 2013. La photocopie non autorisée est un délit.

Test d'évaluation

Total : …/100 points

1 **Choisissez la bonne réponse.**   … / 10

1. Quelle | cuisson || cuisine | pour votre steak ?

2. C'est de la | partie || part | de qui ?

3. Je cherche un pantalon noir. — Oui, quelle | taille || pointure | faites-vous ?

4. Il va acheter un | médecin || médicament | à la pharmacie.

5. Laurent se sert beaucoup de son | téléphone || ordinateur | mobile.

6. Ariane a | un empêchement || une annulation |, elle ne peut pas venir à la réunion.

7. Non, ça ne va pas, la veste est | très || trop | courte pour moi.

8. Combien est-ce que vous voulez | mettre || dépenser | ? — Environ 50 euros.

9. Est-ce que vous avez le même | style || modèle | en bleu ?

10. Nous devons | commander || décommander | le rendez-vous de mardi.

2 **Répondez par une phrase complète.**   … / 10

1. Vous voulez mettre combien ?

— _____

2. L'appartement fait combien de mètres carrés ?

— _____

3. Alors, qu'est-ce qui ne va pas ?

— _____

4. Est-ce que les enfants peuvent jouer ici ?

— _____

5. Vous voulez laisser un message ?

— _____

6. Pardon, monsieur, je cherche la poste, s'il vous plaît.

— _____

7. Tu es libre, samedi soir, pour dîner ?

— _____

8. Votre entrecôte, vous la voulez comment ?

— _____

9. Jeudi à 16 heures, ça vous va ?

— _____

10. Pour aller à la gare, c'est direct en bus ?

— _____

3 Trouvez une question possible. … / 10

1. — _____

   — Oui, ça me ferait très plaisir.

2. — _____

   — Non merci, je la rappellerai plus tard.

3. — _____

   — Non, c'est dommage, vendredi soir, je suis pris(e).

4. — _____

   — Non, c'est la première fois que je viens.

5. — _____

   — Non, franchement, ça ne m'intéresse pas beaucoup.

6. — _____

   — Désolé(e), il n'est pas là. Je peux prendre un message ?

7. — _____

   — Je fais du 40.

8. — _____

   — J'ai mal là, au ventre.

9. — _____

   — Oui, bien sûr ! Les cabines sont au fond, à droite.

10. — _____

   — Non, c'est tout près. C'est à deux minutes à pied.

4 Complétez. … / 10

1. Je voudrais _____ rendez-vous avec le docteur Mercier, s'il vous plaît.

2. Est-ce que je _____ avoir l'addition, s'il vous plaît ?

3. Pour aller au musée d'Orsay, à quelle station est-ce que je dois _____ ?

4. Qu'est-ce que vous avez _____ desserts ? — Des glaces, des tartes…

5. Pardon, monsieur, je _____ la rue Victor-Hugo, s'il vous plaît.

6. Ne _____ pas, je vous passe Grégoire !

7. Il me _____ un ordinateur portable pour travailler dans le train.

8. Je vous téléphone _____ de l'annonce qui est parue dans le journal.

9. Vous _____ la troisième rue à droite et vous arrivez à la gare.

10. Il est strictement _____ de fumer dans les lieux publics.

© CLE international 2013. La photocopie non autorisée est un délit.

5 Dans quelle(s) situation(s) pouvez-vous entendre les phrases suivantes ? Que signifient-elles ? ... / 10

1. Qu'est-ce que j'ai fait de mon stylo ? _____

2. Vous voulez mettre combien ? _____

3. Ne quittez pas ! _____

4. Oui, je veux bien ! _____

5. Ma pauvre ! Comment est-ce que vous avez fait ça ? _____

6. Ce n'est pas possible ! _____

7. Ça vous va très bien ! _____

8. Tous mes vœux de bonheur ! _____

9. Ce n'est pas grave ! _____

10. Ils jouent très bien ! _____

6 Choisissez le ou les terme(s) possible(s). ... / 10

1. Ça sent | bon || bien || délicieux || mauvais | .

2. C'est | loin || perdu || tout près || à dix minutes | d'ici.

3. Ça | m'intéresse || me va || fait mal || m'y intéresse | .

4. Ça me fait | grave || plaisir || mal || besoin | .

5. Est-ce que | je peux || vous avez || vous pouvez || vous décommandez | des tartes aux abricots ?

6. | C'est || Ça fait || Ça prend || Ça va | combien ?

7. Nous devons | reporter || remettre || faire || aller | notre rendez-vous.

8. Où | se trouvent || vont || sont || est-ce que nous pouvons | les toilettes ?

9. Je vous | laisse || connais || présente || parle | Anne, ma sœur.

10. À | la dernière || mardi || la prochaine || bientôt | !

7 Que dites-vous dans ces situations ? ... / 10

1. Vous voulez un rendez-vous avec le médecin.

2. Vous ne trouvez plus votre portefeuille.

3. Vous cherchez la poste.

4. Vous consolez un étudiant qui a raté son examen.

5. Vous êtes très surpris(e) par l'arrivée d'un(e) ami(e).

6. Vous êtes enrhumé(e), vous allez à la pharmacie.

7. Vous êtes au téléphone, vous demandez à parler au médecin.

8. Vous demandez à un(e) collègue de faire quelque chose pour vous.

9. Vous faites des compliments à un(e) ami(e) sur les vêtements qu'il/elle porte.

10. Vous ne savez pas comment fonctionne ce club de gym.

8 Vrai ou faux ? Les phrases sont-elles synonymes ? ... / 10

	VRAI	FAUX
1. « À bientôt ! » = « À la prochaine ! »	☐	☐
2. « Il est pris. » = « Il n'est pas libre. »	☐	☐
3. « Il n'y a pas de mal. » = « Il n'est pas malade. »	☐	☐
4. « Je veux bien ! » = « Avec plaisir ! »	☐	☐
5. « Je vous félicite ! » = « Tous mes vœux de bonheur ! »	☐	☐
6. « Ça t'ennuierait de venir demain ? » = « Ça ne t'intéresse pas de venir demain ? »	☐	☐
7. « Ça me va. » = « Ça me convient. »	☐	☐
8. « Je peux vous renseigner ? » = « Vous pouvez me donner des renseignements ? »	☐	☐
9. « Je ne sais plus où j'ai mis ma clé. » = « Je ne trouve plus ma clé. »	☐	☐
10. « Je dois reporter mon rendez-vous. » = « Je dois décommander mon rendez-vous. »	☐	☐

9 Trouvez une autre manière de dire. ... / 10

1. J'ai besoin d'un grand bureau. _____

2. Je suis désolé(e), Lionel est en ligne. _____

3. Il n'y a pas de mal ! _____

4. Où est-ce que j'ai mis mon téléphone mobile ? _____

5. Nous avons l'intention d'acheter une voiture. _____

6. Ce n'est pas autorisé. _____

7. Je dois annuler mon rendez-vous avec le coiffeur. _____

8. Je te félicite ! _____

9. Je pense que c'est une mauvaise idée. _____

10. Qu'est-ce que vous diriez d'aller au théâtre ? _____

10 Associez les phrases de sens équivalent. Plusieurs solutions sont parfois possibles. ... / 10

1. J'ai besoin d'un portable.	**a.** Je pense acheter un portable.
2. Qu'est-ce que j'ai fait de mon portable ?	**b.** Mon projet est d'acheter un portable.
3. C'est bien mon portable.	**c.** Il est interdit d'utiliser le portable ici.
4. Qu'est-ce que tu dirais d'avoir un portable ?	**d.** Je ne trouve plus mon portable.
5. Ça t'ennuierait d'utiliser un portable ?	**e.** Je suis sûr que c'est mon portable.
6. J'ai l'intention d'acheter un portable.	**f.** Tu pourrais utiliser un portable ?
7. Je cherche mon portable.	**g.** Il me faut un portable.
8. J'achèterai probablement un portable.	**h.** Je crois que c'est mon portable.
9. Je ne peux pas utiliser le portable ici.	**i.** Et si tu avais un portable ?
10. Il me semble que c'est mon portable.	**j.** Où est-ce que j'ai mis mon portable ?

© CLE International 2013. La photocopie non autorisée est un délit.

Corrigé du test d'évaluation

1. 1. cuisson – 2. part – 3. médicament – 4. taille – 5. téléphone – 6. un empêchement – 7. trop – 8. mettre – 9. modèle – 10. décommander.

2. (réponses possibles) 1. Environ 40 euros / Dans les 40 euros. – 2. Il fait 65 m². – 3. Eh bien, docteur, j'ai mal au ventre depuis plusieurs jours. – 4. Oui, les jeux sont autorisés. / Les enfants peuvent jouer ici. – 5. Non merci, je le/la rappellerai plus tard. / Oui, s'il vous plaît. Pouvez-vous lui demander de me rappeler dès qu'il/elle arrive ? – 6. Continuez tout droit et prenez la première à droite. / 7. Oui, je suis libre ! / Non, je suis désolé(e), je suis pris(e). – 8. Saignante, s'il vous plaît ! – 9. Oui, ça me va/convient très bien. / Non, ça ne me va pas, je ne suis pas libre à ce moment-là. – 10. Oui, c'est direct. / Non, vous devez changer de bus à « République ».

3. (questions possibles) 1. Est-ce que tu aimerais venir avec nous au cinéma ? – 2. Vous voulez laisser un message ? / Vous patientez quelques instants ? – 3. Tu es libre, vendredi soir, pour dîner avec nous ? – 4. Vous avez un dossier chez nous ? / Vous êtes déjà venu(e) ? – 5. Ce film t'intéresse ? – 6. Est-ce que je pourrais parler à monsieur Frémaud ? – 7. Quelle taille / Quelle pointure faites-vous ? – 8. Où est-ce que vous avez mal ? / Qu'est-ce qui ne va pas ? – 9. Est-ce que je peux essayer ce pull ? – 10. C'est loin d'ici ?

4. 1. prendre – 2. peux/pourrais – 3. descendre – 4. comme – 5. cherche – 6. quittez – 7. faut/faudrait – 8. à propos – 9. prenez – 10. interdit.

5. 1. Quand on a perdu/égaré son stylo. → Signifie : « Où est-ce que j'ai mis mon stylo ? / Je cherche mon stylo ! » – 2. Dans un commerce. → Signifie : « Quel est votre budget ? Combien souhaitez-vous dépenser (pour ce cadeau, pour cet achat...) ? » – 3. Au téléphone → Signifie : « Attendez un instant, s'il vous plaît. » – 4. Dans une situation personnelle, à la maison, avec des amis → Signifie : « J'accepte la proposition. » – 5. Quand on voit une dame qui a visiblement eu un problème de santé (jambe cassée, bras dans le plâtre, etc.) → Signifie : « Je vous plains, et j'aimerais savoir de quelle manière cet accident est arrivé. » – 6. Dans une situation personnelle ou de commerce. → Selon l'intonation, signifie : « Je suis scandalisé(e) ! » ou « Je suis stupéfait(e) ! » – 7. → Signifie : « Je vous fais un compliment sur un vêtement ou un accessoire que vous portez. » – 8. Dans une situation personnelle. → C'est ce que l'on répond à quelqu'un qui annonce son mariage. – 9. Dans une situation personnelle. → Selon l'into-nation et la situation, constitue une réponse à « Je suis désolé(e) / Excusez-moi ! » et signifie « Ce n'est rien ! » – 10. Dans un spectacle ou un match. → Selon la situation, constitue un compliment à des acteurs (de théâtre ou de cinéma) ou à des joueurs (de football, de rugby, etc.).

6. 1. bon, mauvais – 2. loin, tout près, à dix minutes – 3. m'intéresse, me va, fait mal – 4. plaisir, mal – 5. vous avez – 6. c'est, ça fait – 7. reporter, remettre – 8. se trouvent, sont – 9. présente – 10. mardi, la prochaine, bientôt.

7. (réponses possibles) 1. Je voudrais un rendez-vous avec le docteur X, s'il vous plaît. / Est-ce que je peux prendre rendez-vous avec le docteur X, s'il vous plaît ? – 2. Qu'est-ce que j'ai fait de mon portefeuille ? / Où est-ce que j'ai mis mon portefeuille ? – 3. Pardon, monsieur, je cherche la poste. / Pardon, madame, vous savez où est la poste, s'il vous plaît ? – 4. Ce n'est pas grave, tu vas bien réviser et la prochaine fois, tu vas réussir ! – 5. Ça alors ! Quelle bonne surprise ! C'est merveilleux de te voir ! – 6. Qu'est-ce que vous pouvez me donner contre le rhume ? / Je suis très enrhumé(e), qu'est-ce que je peux prendre ? – 7. Bonjour, madame, est-ce que je pourrais parler au docteur X, s'il vous plaît, de la part de... – 8. Est-ce que tu pourrais me faire cette photo-copie ? / Ça t'ennuierait de me faire cette photocopie ? – 9. Cette couleur / Ce pull te va très bien ! – 10. Je voudrais des renseignements sur votre club, s'il vous plaît.

8. 1. V – 2. V – 3. F – 4. V – 5. F – 6. F – 7. V – 8. F – 9. V – 10. F.

9. (réponses possibles) 1. Il me faut/faudrait un grand bureau. – 2. Je suis désolé, la ligne est occupée. – 3. Ce n'est rien / Ce n'est pas grave ! – 4. Qu'est-ce que j'ai fait de mon téléphone mobile ? – 5. Nous pensons/souhaitons acheter une voiture. – 6. C'est interdit. – 7. Je dois décommander mon rendez-vous. – 8. Toutes mes félicitations ! Bravo ! – 9. À mon avis, c'est une mauvaise idée. – 10. Et si nous allions au théâtre ? / Vous aimeriez aller au théâtre ?

10. 1. g – 2. j et d – 3. e – 4. i – 5. f – 6. a et b – 7. d – 8. a – 9. c – 10. h.

Index thématique
(sujets des dialogues)

administration 42
anniversaire 104, 124
banque 52
boulangerie-pâtisserie 8
bureau, entreprise 68, 76, 86, 88, 102, 130
camping 48
chaussures 28
commerces 12, 14, 16, 18, 26, 28, 30, 54, 125
conversation 56, 58, 62, 64, 66, 72, 104, 106, 108, 110, 124, 127
dentiste 32
directions 54, 56, 58, 122, 123

enfants 80, 82, 100, 106
épicerie 14
gare 24
hôtel 22
immobilier 60, 129
location de vélos 50
maison 60, 64
marché 12
médecin 34, 126
météo 66
papeterie 16
plage 46
poissonnier 18
poste 10, 128

relations sociales 70, 72, 84, 86, 90, 112, 114, 116, 118
rendez-vous 32, 34, 126
restaurant 20
santé 32, 34, 92, 94, 96, 127
services 10, 24, 36, 38, 52
ski 44
sports 38, 44, 46, 50, 78, 116, 118
technologie 30, 68
téléphone 22, 32, 34, 60, 74, 76, 124, 126, 129
tourisme 22, 40, 44, 46, 48, 50
transports 36
vêtements 26, 125

Index grammatical

à 8, 40, 42, 46, 74
à cause de 118
article défini 64
adjectifs indéfinis 8, 114
adjectifs possessifs 84
adjectifs qualificatifs 22, 26, 32, 44, 62, 64
adverbes 32, 38, 54, 62, 72, 112
aller 20, 42, 48, 52, 72, 86, 90, 94
alors que 120
appeler (s') 70
arriver 42, 94, 102
asseoir (s') 78
assez (de) 26
aussi 62
autant (de) 62
avec 24, 40
avoir 20, 34, 52, 60, 72, 78, 80, 98
bien que 120
cause (expression de la) 118
c'est 34, 44
ce que 106
ce qui 106
celui, celle(s), ceux 64
comme 118
commencer 42
comment 96, 100
comparatif 62
complément de nom 46
condition 66
conditionnel présent 90
connaître (se) 70, 100
croire 30
dans 24, 28
de 12, 40, 44, 46, 62, 98, 102
de la 14
demander 42, 68
des 8, 14
descendre 94
devoir 36
dîner 42
discours indirect 88
du 14
en *(pronom et préposition)* 60, 96
entrer 94
est-ce que 10, 36, 40

être 34, 44, 52, 72, 78, 80, 94, 116
faire 52, 78, 80
féminin 8, 14, 22, 24, 32, 64, 84
futur proche 48
futur simple 52, 66
gérondif 96
hypothèse 66
il est 44
il faut 68, 108
il y a 34, 60, 108
imparfait 34, 110
impératif 78, 80
impersonnelles (tournures) 108
infinitif 16, 36, 42, 44, 48, 98, 100, 102, 108
interrogation 10, 18, 24, 40
lever (se) 86
lieu (expression du) 54
malgré 120
manière (expression de la) 96
masculin 8, 14, 22, 24, 32, 64, 84
mettre (se) 80
moins (de) 32, 62
monter 94
mourir 94
naître 94
négation 60, 82
nom 8, 14, 22, 24, 26, 32, 46, 62, 64, 104, 108, 118, 120
nominalisation 104
occuper (s') 78, 80, 94, 102
on 86
opposition (expression de l') 120
où 40, 88
par 40, 116
parce que 118
parler 42, 52, 68, 80
partir 86, 90, 94
passé composé 58, 82, 86, 94, 110
passé récent 102
passer 94
passif (expression du) 116
pluriel 8, 14, 22, 24, 32, 64, 84
plus (de) 32, 62
plus-que-parfait 72
pour 16, 18, 24

pouvoir 16, 36, 52, 74, 90
prendre 20, 72, 78, 80
prépositions 16, 18, 24, 28, 40, 42, 54, 98
présent 20, 30, 36, 44, 50, 66, 70, 100, 108, 120
pronoms démonstratifs 64, 106
pronoms indéfinis 92, 114
pronoms personnels 50, 58, 60, 74, 76
pronoms relatifs 56, 64, 106
puisque 118
quand 88, 96, 100, 110
quantité (expression de la) 12, 14, 60
que 40, 62, 88, 106
quel(s), quelle(s) 24, 40
question → interrogation
qui 40, 56, 64, 100, 106
recevoir 102
rester 94
retourner 94
savoir 30, 100
si 66, 88
simultanéité 96
sortir 94
souffler 78
subjonctif 68, 108, 120
superlatif 32
sur 28
téléphoner 42, 102
temps (expressions de) 38
tomber 94
tout(e), tous, toutes 114
trop (de) 26
trouver 68
un(e) 8
venir 42, 52, 80, 90, 94, 102
verbes pronominaux 70, 78, 80, 86, 94
verbes réguliers 10, 48, 52, 68, 70, 78, 80, 102
voir 52
vouloir 16, 30, 74

Index de vocabulaire

A

à bientôt (interj.) 70
abdominaux (n.m.) 78
abonnement (n.m.) 44
abricot (n.m.) 8, 12
absent(e) (adj.) 84
absolument (adv.) 82
accepter (v.) 84
accessoire (n.m.) 112
accueil (n.m.) 76
achat (n.m.) 26
acteur, -trice (n.) 120
action (n.f.) 72
activité (n.f.) 62, 98
administratif(-ive) (adj.) 42
administration (n.f.) 42
admiration (n.f.) 120
adopter (v.) 114
adorer (v.) 98
âge (n.m.) 100
agneau (n.m.) 14
aimer (v.) 52, 84, 98, 102, 108
air (n.m.) 110, 112
alimenter (v.) 52
aller (n.m. et v.) 24, 26, 30, 40, 46, 58, 68, 72, 86, 96, 98, 106, 112, 116, 120
allonger (s') (v.) 78
allumer (v) 74
ambassade (n.f.) 42
ami(e) (n.) 70, 74, 98, 112
amuser (s') (v.) 40, 80
anniversaire (n.m.) 64, 104
annonce (n.f.) 60
annuler (v.) 34
antibiotique (n.m.) 92
antivol (n.m.) 50
appareil photo (n.m.) 68
appartement (n.m.) 84
appel (n.m.) 76
appeler (v.) 74, 76
applaudir (v.) 120
applaudissement (n.m.) 120
appuyer (v.) 96
arbitre (n.m.) 118
arête (n.f.) 18
argent (n.m.) 102, 112
arracher (v.) 32
arrêt (n.m.) 36

arrivée (n.f.) 24
arriver (v.) 56, 94
article (n. m.) 8, 54
ascenseur (n.m.) 54
aspirine (n.f.) 92
assiette (n.f.) 20, 64, 82, 90
association (n.f.) 38
attendre (v.) 24, 72, 76
attraper (v.) 80
au revoir (interj.) 70
aubergine (n.f.) 12
au-dessous (adv.) 64
au-dessus (adv.) 64
aujourd'hui (adv.) 88
automatique (adj.) 52
autorisé(e) (p. p.) 44
autoriser (v.) 44
autre (adj. et n.) 70, 106
avalanche (n.f.) 44
avance (n.f.) 34, 88
avant-garde (loc.) 120
avis (n.m.) 102
avoir (v.) 10, 20, 22, 28, 32, 34, 36, 38, 40, 50, 52, 66, 68, 72, 78, 92, 94, 96, 98, 100, 102, 106, 108, 110, 112, 114, 118, 120

B

baby-sitter (n.) 100
bac à sable (n.m.) 80
bague (n.f.) 112
baguette (n.f.) 8
baignoire (n.f.) 60
bain (n.m.) 46, 100
baisser (v.) 78
bal (n.m.) 40
balançoire (n.f.) 80
ballon (n.m.) 80, 118
balnéaire (adj.) 46
banane (n.f.) 12
bancaire (adj.) 52
bandage (n.m.) 94
banque (n.f.) 52
barbe (n.f.) 110
bas(se) (adj. et adv.) 64, 100, 108
basilic (n.m.) 12
basket (n.f.) 28
battu(e) (p. p.) 116

bavard(e) (adj.) 108
bavarder (v.) 108
beau (belle) (adj. et adv.) 62, 66, 112
bébé (n.m.) 100
béquille (n.f.) 96
besoin (n.m.) 68
beurre (n.m.) 14
biberon (n.m.) 100
Bic (n.m.) 16
bien (adv.) 26, 32, 46, 86, 112, 116, 120
bière (n.f.) 14, 20
bijou (n.m.) 112
billet (n.m.) 24, 36
blanc(he) (adj.) 110
bleu(e) (adj.) 44, 52, 110
blond (e) (adj.) 110
bœuf (n.m.) 14
bois (n.m.) 90
boisson (n.f.) 20
boiter (v.) 96
bon(ne) (adj.) 20, 44, 66, 84, 102, 104, 112, 114, 116
bonbon (n.m.) 8
bonheur (n.m.) 114
bonjour (interj.) 70
bordeaux (n.m.) 20
botte (n.f.) 28
boucle (n.f.) 112
bouée (n.f.) 46
bougie (n.f.) 104
boulangerie (n.f.) 8
bouteille (n.f.) 14, 64, 104
boutique (n.f.) 26
bracelet (n.m.) 112
bras (n.m.) 78, 94, 96
bravo (interj.) 114
brioche (n.f.) 8
broche (n.f.) 112
brochure (n.f.) 38
brocoli (n.m.) 12
brosse (n.f.) 32
brosser (se) (v.) 32
brouillard (n.m.) 66
bruit (n.m.) 108
brun(e) (adj.) 110
budget (n.m.) 102
bureau (n.m.) 42, 68, 72, 86, 88

bureaucratie (n.f.) 42
bus (n.m.) 36, 72
but (n.m.) 118

C

cabine (n.f.) 26
cabinet (n.m.) 34
cadeau (n.m.) 104
café (n.m.) 8, 20
caisse (n.f.) 54
caissier, -ère (n.) 54
campagne (n.f.) 56, 62, 90
camping (n.m.) 48
canapé (n.m.) 60
cantine (n.f.) 86
caractériser (v.) 64
carafe (n.f.) 20, 64
caravane (n.f.) 48
carie (n.f.) 32
carnet (n.m.) 10, 36
carotte (n.f.) 12
carré(e) (adj. et n.m.) 60
carte (n.f.) 10, 20, 44, 52
carton (n.m.) 90, 118
cartonné(e) (adj.) 16
cartouche (n.f.) 16
cassé(e) (adj. et p. p.) 82, 94
casser (se) (v.) 82, 94
catastrophe (n.f.) 72, 118
caution (n.f.) 50
ceinture (n.f.) 112
célébrer (v.) 104
cerise (n.f.) 12
certain(e) (adj.) 88, 106, 108
certitude (n.f.) 106
chaîne (n.f.) 112
chambre (n.f.) 22, 60
champagne (n.m.) 104
champignon (n.m.) 12
championnat (n.m.) 116
chance (n.f.) 116
changer (v.) 34, 36, 100
chanson (n.f.) 100
chant (n.m.) 98
chanter (v.) 100, 120
chapeau (n.m.) 112
château (n.m.) 56
chaud(e) (adj. et adv.) 66

chausson (n.m.) 8
chaussure (n.f.) 28
chemin (n. m.) 56
chemise (n.f.) 16, 26
chèque (n. m.) 50, 52
chéquier (n.m.) 52
chercher (v.) 26, 54, 56, 82
cheveux (n.m.) 110
cheville (n.f.) 94, 96
chez (prép.) 72
chocolat (n.m.) 8
choisir (v.) 20
chose (n.f.) 62
chou (n.m.) 8
chou-fleur (n.m.) 12
cimetière (n.m.) 56
cinéma (n.m.) 98, 120
citron (n.m.) 8, 12
classe (n.f.) 24,106
classeur (n.m.) 16
classique (adj.) 120
clavier (n.m.) 30
clé USB (n.f.) 30
club (n.m.) 38, 78, 116
code (n.m.) 10
cogner (se) (v.) 94
colis (n.m.) 10
colle (n.f.) 82
collège (n.m.) 106
collègue (n.) 70, 102
collier (n.m.) 112
combien (adv. interr.) 16, 18, 60
commande (n.f.) 18
commander (v.) 18
comme (conj. et adv.) 20, 112
commencer (v.) 40
commissariat (n. m.) 58, 110
communal(e) (adj.) 56
comparer (v.) 62
compétition (n.f.) 116
complet(-ète) (adj.) 8, 22
compliment (n.m.) 112
composter (v.) 24, 36
comprimé (n.m.) 92
compris(e) (p. p.) 22
compte (n.m.) 52
concentré(e) (adj.) 116
concert (n.m.) 98, 120
condition (n.f.) 66
conférence (n.f.) 102
confirmation (n.f.) 22
confirmé(e) (p. p.) 106
confiture (n.f.) 14

connaissance (n.f.) 70
connaître (se) (v.) 24, 70, 100, 102
connecter (se) (v.) 68
conserve (n.f.) 14
consoler (v.) 116
consulat (n.m.) 42
consulter (v.) 68, 74
content(e) (adj.) 114
continuer (v.) 56
contre (prép.) 92, 94,102
convenir (v.) 32, 86
conversation (n.f.) 108
coquillage (n.m.) 18, 62
corbeille (n.f.) 64
corpulent(e) (adj.) 110
costume (n.m.) 26
côté (n.m.) 84
coton (n.m.) 112
couchage (n.m.) 48
couche (n.f.) 100
couleur (n.f.) 16, 26
couper (v.) 18
courage (n.m.) 116
courant(e) (adj.) 52
courbature (n.f.) 78
courgette (n.f.) 12
courir (v.) 80
couronne (n.f.) 32
courriel (n.m.) 22, 68
courrier (n.m.) 86
cours (n.m.) 38
course (n.f.) 8, 50
court(e) (adj.) 110
cousin, -e (n.) 70
couteau (n.m.) 64
couvert (n.m.) 64
crabe (n.m.) 18
crayon (n.m.) 16
créer (v.) 68
crème (n.f.) 8, 14, 20
crevette (n.f.) 18
cri (n.m.) 108
crier (v.) 108
critiquer (v.) 118
croire (v.) 30, 102, 108
croissant (n.m.) 8
croque-madame (n.m.) 20
croque-monsieur (n.m.) 20
crudité (n.f.) 20
crustacé (n.m.) 18
cuiller (n.f.) 64
cuir (n.m.) 112

cuisine (n.f.) 60
cuisinière (n.f.) 60
curriculum vitae (CV) (n.m.) 100

D

danse (n.f.) 98, 120
danser (v.) 40, 120
décaféiné (adj.) 20
déclaration (n. f.) 58
décommander (v.) 34
décrire (v.) 60, 110
défilé (n.m.) 40
délicieux(-euse) (adj.) 112
demain (adv.) 88
demander (v.) 8, 16, 36, 88, 102
demi(e) (adj. et n.m.) 12, 20
dent (n.f.) 32, 96
dentifrice (n.m.) 32
dentiste (n.) 32
départ (n.m.) 24
dépenser (v.) 102
dépliant (n.m.) 38
dernier(-ère) (adj.) 88, 120
descendre (v.) 36
désirer (v.) 50
désolé(e) (adj.) 22, 34, 72, 84, 86
dessert (n.m.) 20, 64
destinataire (n.m.) 10
détester (v.) 98
devenir (v.) 114
devoir (v.) 36, 42
difficile (adj.) 66, 86
digital(e) (adj.) 68
dîner (v. et n.m.) 84, 112
dire (v.) 16, 70, 90
direct(e) (adj.) 36
directeur, -trice (n.) 102
discussion (n.f.) 108
discuter (v.) 108
disponible (adj.) 100
dispute (n.f.) 108
disputer (se) (v.) 108
divorce (n.m.) 114
divorcer (v.) 114
document (n.m.) 42, 68
dommage (n.m.) 84, 116
donnée (n.f.) 30
donner (v.) 10, 14, 78, 100, 102
dormir (v.) 48

dos (n.m.) 90, 96
dossier (n.m.) 16, 30, 32
douane (n.f.) 10
double (adj.) 22
douche (n.f.) 22, 60
douzaine (n.f.) 12
drame (n.m.) 116
drap (n.m.) 60
drapeau (n.m.) 40
droit (adv.) 64

E

eau (n.f.) 14, 20, 64, 66
écharpe (n.f.) 112
échangeable (adj.) 24
échouer (v.) 106
éclair (n.m.) 8
école (n.f.) 56, 72, 106
économie (n.f.) 52
économiser (v.) 102
écran (n.m.) 30
écrire (v.) 86
église (n.f.) 56
électro-ménager (n.m. et adj.) 54
électronique (adj.) 86
e-mail → courriel
emmener (v.) 72
empêchement (n.m.) 34
encourager (v.) 116
endroit (n.m.) 90
en effet (loc.) 102
enfance (n.f.) 114
enfant (n.) 62, 72, 100, 114
enflé(e) (p. p.) 96
enlever (v.) 18, 94
ennui (n.m.) 118
ennuyer (s') (v.) 88
ennuyeux(-euse) (adj.) 118
enquête (n.f.) 108
enrhumé(e) (adj.) 92
ensemble (n.m.) 26
entorse (n.f.) 94
entraînement (n.m.) 116
entraîner (s') (v.) 116
entraîneur (n.m.) 116
entrecôte (n.f.) 20
entrée (n.f.) 20
entreprise (n.f.) 76, 86, 102
entrer (v.) 106
enveloppe (n.f.) 16
envoyer (v.) 10, 68, 74, 86
épargne (n.f.) 52

épicerie (n.f.)   14, 56
équipe (n.f.)   116
escalator (n.m.)   54
escalier (n.m.)   54, 94
espèce (n.f.)   52
essayage (n.m.)   26
essayer (v.)   26, 28
étagère (n.f.)   64
éteindre (v.)   74
étoile (n.f.)   22, 48
étonné(e) (p. p.)   104
étonner (v.)   104
être (v.)   16, 20, 34, 36, 50,
    54, 56, 74, 76, 84, 102,
    106, 110, 112, 114
étude (n.f.)   106
évier (n.m.)   60
examen (n.m.)   106
excuser (s') (v.)   48, 72
exister (v.)   28
expéditeur (n.m.)   10
expérience (n.f.)   100
expliquer (v.)   56, 58, 94
exprimer (v.)   42, 50, 66,
    104, 106, 120
extraordinaire (adj.)   120

F

fabuleux(-euse) (adj.)   120
fac[ulté] (n.f.)   106
faire (se) (v.)   8, 16, 22, 26,
    28, 30, 42, 44, 48, 52, 56,
    58, 60, 66, 70, 78, 82, 84,
    86, 88, 90, 94, 96, 98, 104,
    106, 108, 112, 116
falloir (v.)14, 24, 42, 68, 88
fantastique (adj.)   120
farine (n.f.)   14
faut (il) → falloir
fauteuil (n.m.)   60
fax (n.m.)   22, 68, 86
félicitation (n.f.)   114
féliciter (v.)   114
fête (n.f.)   64, 104
fêter (v.)   104
feu d'artifice (n. m.)   40
fiche (n.f.)   10
fichier (n.m.)   30
fier(-ère) (adj.)   114
fièvre (n.f.)   92
fil (n.m.)   30
filet (n.m.)   18
fille (n.f.)   70

fils (n.m.)   70, 82
finance (n.f.)   102
financier(-ère) (adj.)   102
fois (n.f.)   32, 116
fonctionnalité (n.f.)   30
fond (n.m.)   44
foot[ball] (n.m.)   98, 118
footballeur (n.m.)   118
forêt (n.f.)   90
forfait (n.m.)   44
forme (n.f.)   116
formulaire (n.m.)   38
fort(e) (adj. et adv.)66,108
four (n.m.)   60
fourchette (n.f.)   64
fracture (n.f.)   94
frais (fraîche) (adj.)   14
fraise (n.f.)   8, 12
frère (n.m.)   70
froid(e) (adj. et adv.)   66
fromage (n.m.)   14, 20, 64
fruit (n.m.)   12, 14, 20, 64
fruits de mer (n.m.)   18

G

gagner (v.)   116
gant (n.m.)   112
garage (n.m.)   60
gardien (n.m.)   118
gare (n.f.)   24
gâteau (n.m.)   8, 104
gauche (adv.)   64
génial(e) (adj.)   120
génie (n.m.)   120
gentil(le) (adj.)   84
glace (n.f.)   8
gomme (n.f.)   16
goût (n.m.)   98
goutte (n.f.)   92
gramme (n.m.)   12
grand(e) (adj.)   22, 54, 70,
    110
grand-mère (n.f.)   114
grand-père (n.m.)   114
grave (adj.)   72, 116
gris(e) (adj. et adv.)66, 110
gros(se) (adj.)   110
guichet (n. m.)   42
gym[nastique] (n.f.)   78

H

habiter (v.)   84

habitude (n.f.)   100
haricot (n.m.)   12
haut (n.m. et adj.)26, 28, 64
herbe (n.f.)   12
hésiter (v.)   30
heure (n.f.)   18, 34, 50, 88
heurter (v.)   72
hier (adv.)   88
histoire (n.f.)   100
historique (adj.)   62
hiver (n.m.)   44
homard (n.m.)   18
horaire (n.m.)   24
horreur (n.f.)   98
hors jeu (loc. adv.)   118
hors-piste (n.m.)   44
hôtel (n.m.)   22
huile (n.f.)   14
huître (n.f.)   18

I

idée (n.f.)   84,102
immédiatement (adv.)   88
immeuble (n.m.)   84
imprimante (n. f.)   68
imprimer (v.)   68
incertitude (n.f.)   106, 108
incroyable (adj.)   104
indigestion (n.f.)   92
informer (s') (v.)   60
inscription (n.f.)   38
inscrire (s') (v.)   38
inspirer (v.)   78
instant (n.m.)   88
instruction (n.f.)   78
intention (n.f.)   50, 52
interdire (v.)   44
interdit(e) (p. p.)   44
intéressant(e) (adj.)   118
intéresser (s') (v.)   98
Internet (n.m.)   30, 38, 68
inviter (v.)   84

J

jambe (n.f.)   78, 94
jambon (n.m.)   14, 20
jardin (n.m.)   60, 80
jaune (adj.)   118
je t'en / vous en prie
    (interj.)   72
jeter (v.)   82
jeu (n.m.)   80, 118

joli(e) (adj.)   112
jouer (v.)   80,116, 118, 120
joueur, -euse (n.)   116, 118
jour (n.m.)18, 20, 34, 52, 88
journal (n.m.)   60, 72
journée (n.f.)   50
jupe (n.f.)   26
jus (n.m.)   20
juste (adj.)   82

K

kilo (n.m.)   12
kilomètre (n.m.)   56

L

là (adv.)   74, 84
laine (n.f.)   112
laisser (v.)   50, 70, 74, 76
lait (n.m.)   14
lancer (v.)   80, 102, 118
langoustine (n.f.)   18
laurier (n.m.)   12
lavabo (n.m.)   60
lave-linge (n.m.)   60
laver (se) (v.)   32
lave-vaisselle (n.m.)   60
légume (n.m.)   12, 14
lettre (n.f.)   10, 16
lever (se) (v.)   72, 78
libre (adj.)   22, 84, 86, 100
lieu (n.m.)   54
ligne (n.f.)   36, 76
limonade (n.f.)   20
liquide (n.m.)   52
lire (v.)   60, 72, 98
lit (n.m.)   22, 60, 100
litre (n.m.)   12
littérature (n.f.)   98
livre (n.f.)   12
localiser (v.)   54
locataire (n.)   84
location (n.f.)   50
logiciel (n.m.)   30, 68
loin (adv. et prép.)   56, 62
long(ue) (adj.)   110
louer (v.)   50, 60, 84
loyer (n.m.)   84
luge (n.f.)   44
lunettes (n.f.)   110
lycée (n.m.)   106

M

magasin (n.m.) 28, 54
mail (n.m.) 68, 86
maillot (n.m.) 46
main (n.f.) 58, 96, 112
mairie (n.f.) 56
maison (n.f.) 60, 72, 84
mal (n.m. et adv.) 32, 72, 92, 96, 116
manège (n.m.) 80
manger (v.) 100
manteau (n.m.) 26
marche (n.f.) 94
marché (n.m.) 12
marcher (v.) 86, 96, 116
mariage (n.m.) 114
marier (se) (v.) 114
marquer (v.) 118
match (n.m.) 116, 118
maternel(le) (adj.) 106
mathématiques (n.f.) 106
matière (n.f.) 112
matin (n.m.) 72
mauvais(e) (adj. et adv.) 66, 102, 104, 116, 118
mayonnaise (n.f.) 14
mécanique (adj.) 44, 54
médecin (n.m.) 92, 96
médical(e) (adj.) 34
médicament (n.m.) 92
meilleur(e) (adj.) 62
même (adj.) 34
menthe (n.f.) 12
menu (n.m.) 20
mer (n.f.) 22, 46, 66, 90
mère (n.f.) 70, 82, 106
merveilleux(-euse) (adj.) 120
message (n.m.) 74, 76
mètre (n.m.) 60
métro (n.m.) 36
metteur en scène (n.m.) 120
mettre (se)(v.) 32, 58, 80, 82, 100
mie (n.f.) 8
miel (n.m.) 14
mieux (adv.) 62, 116
milieu (n.m.) 64
militaire (adj.) 40
millefeuille (n.m.) 8
mince (adj.) 110
minéral(e) (adj.) 14
minute (n.f.) 88
mise en scène (n.f.) 120

mobile (adj. et n.m.) 68, 74
mocassin (n.m.) 28
modèle (n.m) 28
modifier (v.) 34
mois (n.m.) 84
moment (n.m.) 88, 102
moniteur, -trice (n.) 46
montagne (n.f.) 22, 90
montant (n.m.) 52
monter (v.) 48
monument (n.m.) 62
morceau (n.m.) 14
mort (n.f. et p. p.) 114
motif (n.m.) 64
mou(molle) (adj.) 118
moule (n.f.) 18
mourir (v.) 114
moustache (n.f.) 110
moyen(ne) (n. m. et adj.) 102, 110
musculation (n.f.) 78
musique (n.f.) 98

N

nager (v.) 46
naître (v.) 114
nappe (n.f.) 64
natation (n.f.) 46
naturel(le) (adj.) 62
né(e) (p. p.) 114
neige (n.f.) 44
Net (n.m.) 68
nez (n.m.) 110
nier (v.) 82
noir(e) (adj.) 44, 110
nom (n.m.) 18, 22
normal(e) (adj.) 10, 48
nouveau(-elle) (adj.) 68
nouvelle (n.f.) 114
nuage (n.m.) 66
nul(le) (adj.) 118
numéro (n.m.) 74

O

objet (n.m.) 54, 58, 82
obligation (n.f.) 42
occupé(e) (p. p.) 76
occuper (s') (v.) 100
œil, yeux (n.m.) 92, 110
œuf (n.m.) 14
office (n.m.) 40
oignon (n.m.) 12
ombre (n.f.) 90

omelette (n.f.) 20
oncle (n.m.) 70
opinion (n.f.) 102
or (n.m.) 112
orange (n.f.) 12
ordinateur (n. m.) 30, 68
ordonnance (n.f.) 92
oreille (n.f.) 112
organiser (v.) 84, 86, 102
ouvrir (v.) 104

P

pain (n.m.) 8, 64
paire (n.f.) 28
pamplemousse (n.m.) 12
pantalon (n.m.) 26
papeterie (n.f.) 16
papier (n.m.) 16, 42, 90
paquet (n.m.) 10, 14, 104
parc (n.m.) 62
pardon (interj.) 48, 72
parents (n.m.) 70
parfumerie (n.f.) 54
parler (v.) 12, 54, 68, 70, 74, 76, 92, 98, 100, 106, 108
part (n.f.) 70, 76
participer (v.) 116
partie (n.f.) 116
partir (v.) 72
pas du tout (interj.) 82
passeport (n.m.) 42
passer (se) (v.) 18, 40, 56, 76, 94, 106, 114
passe-temps (n.m.) 98
passif(-ive) (adj.) 118
passionné(e) (p. p.) 98
pâte (n.f.) 14
patient(e) (adj. et n.) 32
patienter (v.) 76
pâtisserie (n.f.) 8
pauvre (adj.) 116
payer (v.) 52, 84
pêche (n.f.) 12, 98
pelle (n.f.) 80
penalty (n.m.) 118
pendentif (n.m.) 112
penser (v.) 52, 102
perdre (v.) 58, 116
perdu(e) (p. p.) 56, 58
père (n.m.) 70
perfection (n.f.) 120
permettre (v.) 44
persil (n.m.) 12

personne (n.f.) 18
perte (n.f.) 58
petit-déjeuner (n.m.) 22
petit(e) (adj.) 62, 110
petits-enfants (n.m.) 114
peut-être (adv.) 30, 52, 108
pharmacie (n.f.) 92
pharmacien(ne) (n.) 92
philosophie (n.f.) 106
photocopier (v.) 68
photocopieuse (n.f.) 68, 86
pièce (n.f.) 120
pied (n.m.) 96
pique-nique (n.m.) 90
pique-niquer (v.) 90
piscine (n.f.) 46
piste (n.f.) 44
pittoresque (adj.) 62
placard (n.m.) 82
place (n.f.) 22, 56, 120
plage (n.f.) 46, 62
plaisanter (v.) 48
plaisir (n.m.) 70, 84, 86
planche à voile (n.f.) 46
planter (v.) 48
plastique (n.m.) 90, 112
plat(e) (adj. et n.m.) 20, 28, 64
plateau (n.m.) 18, 64
plâtre (n.m.) 94
pleut (il) → pleuvoir
pleuvoir (v.) 66
plier (v.) 78
pluie (n.f.) 66
plume (n.f.) 16
poésie (n.f.) 98
pointure (n.f.) 28
poire (n.f.) 12
poireau (n.m.) 12
poisson (n.m.) 14, 18
poissonnier (n.m.) 18
poivre (n.m.) 14
poivron (n.m.) 12
police (n.f.) 58, 110
policier(-ière) (adj. et n.m.) 98, 108
pomme (n.f.) 8, 12
ponctuel(le) (adj.) 88
porc (n.m.) 14
portable (adj. et n.m.) 30, 68, 74
portefeuille (n.m.) 58
porte-mine (n.m.) 16
porte-monnaie (n.m.) 58

porter (v.) 110
posséder (v.) 84
possible (adj.) 32, 48, 104
postal(e) (adj.) 10
poste (n.f.) 10
poste (n.m.) 76
pot (n.m.) 14
poubelle (n.f.) 82
poulet (n.m.) 14
pour (prép.) 50, 92, 102
pousser (v.) 108
pouvoir (v.) 16, 18, 28, 34, 36, 38, 44, 54, 60, 66, 74, 76, 84, 86, 88, 90
prélèvement (n.m.) 52
premier(-ère) (adj.) 24, 32, 120
prendre (v.) 8, 14, 20, 22, 32, 36, 44, 56, 72, 74, 76, 78, 80, 92, 114
préparation (n.f.) 90
préparer (se) (v.) 18, 72, 116
près (adv. et prép.) 56
prescription (n.f.) 92
présenter (v.) 70
primaire (adj.) 106
prioritaire (adj.) 10
pris(e) (p. p.) 84, 86
prise de sang (n.f.) 96
prix (n.m.) 10, 16
probable (adj.) 108
probablement (adv.) 52, 108
prochain(e) (adj.) 70, 88, 116
produit (n.m.) 14
professionnel(le) (adj.) 100
projet (n. m.) 50, 102
promenade (n.f.) 90
proposer (v.) 90
propriétaire (n.) 84
protester (v.) 48
Provence (n.pr.) 12
public(-que) (adj. et n.m.) 80, 120
pull (n.m.) 26

Q

14 Juillet 40
quai (n.m.) 24
quantité (n.f.) 12
quart (n.m.) 88
quelque chose (indéf.) 92
question (n.f.) 44

queue (n.f.) 42
qui (pr. interr.) 76
quitter (v.) 72, 76
quoi (adv. interr.) 48
quotidien(ne) (adj.) 72

R

raconter (v.) 100
radio (n.f.) 96
raide (adj.) 110
raisin (n.m.) 12
rang (n.m.) 120
ranger (v.) 82
rappeler (se) (v.) 74, 76, 108
rapport (n.m.) 86
raté(e) (p. p.) 118
rater (v.) 94, 106
rattraper (v.) 118
rayon (n.m.) 54
rayure (n.f.) 64
réception (n.f.) 76
recevoir (v.) 10, 74, 86, 104, 118
recoller (v.) 82
redoubler (v.) 106
réduction (n.f.) 24
rééducation (n.f.) 94
réfrigérateur (n.m.) 60
refuser (v.) 84
regarder (v.) 72
région (n.f.) 62
relâcher (v.) 78
remboursable (adj.) 24
remettre (v.) 34
remontée (n.f.) 44
remuer (v.) 96
rencontrer (v.) 84, 114
rendez-vous (n.m.) 32, 34, 86
rendre (v.) 50
renseignement (n.m.) 36, 38, 60
renseigner (se) (v.) 32, 38
rentrer (v.) 72
répondeur (n.m.) 74
répondre (v.) 74, 76
reporter (v.) 34
repousser (v.) 34
représentation (n.f.) 120
réservation (n.f.) 22, 34
réserver (v.) 22, 24, 86
restaurant (n.m.) 86
rester (v.) 108

retard (n.m.) 34, 88
retour (n.m.) 24
retraite (n.f.) 114
réunion (n.f.) 72, 86, 102
réussir (v.) 106
ridicule (adj.) 102
rhume (n.m.) 92
rien (pron. indéf.) 72
risque (n.m.) 44
riz (n.m.) 14
robe (n.f.) 26
rocher (n.m.) 62
rôle (n.m.) 120
roman (n.m.) 98
romarin (n.m.) 12
rouge (adj.) 12, 44, 118
route (n.f.) 56, 62
roux(-sse) (adj.) 110
rue (n.f.) 70, 72, 84, 94

S

sable (n.m.) 62, 80
sac (n.m.) 48, 58, 82, 90, 112
salade (n.f.) 12
saladier (n.m.) 64
salle (n.f.) 60, 86
salle de bains (n.f.) 22, 60
saluer (v.) 70
santé (n.f.) 92
sandale (n.f.) 28
sardine (n.f.) 18
sauce (n.f.) 14
saumon (n.m.) 14, 18
sauter (v.) 80
savoir (v.) 30, 58, 100, 108
scandaleux(-euse) (adj.) 48
scanner (n. m.) 96
scène (n.f.) 120
seau (n.m.) 80, 94
second(e) (adj.) 24
séjour (n.m.) 60
sel (n.m.) 14
semaine (n.f.) 50, 88
sembler (v.) 108
séminaire (n.m.) 102
sentir (se) (v.) 112
séparé(e) (p. p.) 22
serviette (n.f.) 64, 90
servir (v.) 64
si (conj.) 66, 90
siffler (v.) 118
silencieux(-euse) (adj.) 108
simple (adj.) 22

sirop (n.m.) 92
site (n.m.) 30, 38, 68
ski (n.m.) 44
skier (v.) 44
SMS (n.m.) 74
sœur (n.f.) 70
soi (pr.) 72, 92
soie (n.f.) 112
soigner (v.) 32
soir (n.m.) 72
sole (n.f.) 14, 18
soleil (n.m.) 66, 90
somme (n.f.) 52
sortie (n.f.) 118, 120
souffler (v.) 78, 104
souhaiter (v.) 50, 52
soupe (n.f.) 64
souple (adj.) 110
souris (n.f.) 30
souvenir (se) (v.) 108
spectacle (n.m.) 120
spectateur, -trice (n.) 120
splendide (adj.) 120
sport (n.m.) 28, 44, 98
sportif(-ive) (adj. et n.) 38
stage (n.m.) 38
standard (n.m.) 76
standardiste (n.) 76
station (n.f.) 36, 44, 46
strictement (adv.) 44
stupéfait(e) (adj.) 104
style (n.m.) 28
stylo (n.m.) 16
stylo-bille (n.m.) 16
sucre (n.m.) 14
sûr(e) (adj.) 30, 46, 106, 108
surface (n.f.) 60
surfer (v.) 68
surpris(e) (p. p.) 104
surprise (n.f.) 104

T

taille (n.f.) 26, 110
tailleur (n.m.) 26
taire (se) (v.) 108
talent (n.m.) 120
talon (n.m.) 28
tante (n.f.) 70
taper (v.) 68
tarif (n.m.) 10
tarte (n.f.) 8
télécharger (v.) 38, 68
téléchargement (n.m.) 68

télécopieur (n.m.) 68
téléphone (n.m.) 60, 68, 74
téléphoner (v.) 60, 74, 76
télévision (n.f.) 72
temps (n.m.) 66, 88
tendre (v.) 78
tennis (n.m.) 28, 98
tente (n.f.) 48
terminale (adj. et n.f.) 106
terrain (n.m.) 118
terre (n.f.) 12
tête (n.f.) 18, 96
texte (n. m.) 68
texto (n.m.) 74
TGV (n.m.) 24
théâtre (n.m.) 98, 120
thermos (n.f.) 90
thon (n.m.) 14, 18
thym (n.m.) 12
ticket (n.m.) 36
timbre (n.m.) 10
toboggan (n.m.) 80
Toile (n.f.) 68
toilettes (n.f.) 60
tomate (n.f.) 12, 14
tomber (v.) 58, 94
tordre (se) (v.) 94

tôt (adv.) 32
touche (n.f.) 30
tourisme (n.m.) 40
touristique (adj.) 62
tourner (v.) 56, 96
tousser (v.) 92
tout de suite (loc. adv.) 88
toux (n.f.) 92
train (n.m.) 24, 36, 72
traitement (n.m.) 68
tramway (n.m.) 36
tranche (n.f.) 14
travail (n.m.) 70, 86
troupe (n.f.) 120
trouver (se) (v.) 54, 58, 82, 90, 102
truite (n.f.) 14, 18
tube (n.m.) 14

U

utiliser (v.) 30, 68

V

vacances (n. f.) 62
vague (n.f.) 46

vaisselle (n.f.) 64
valider (v.) 36
vase (n.m.) 82
veau (n.m.) 14
vélo (n.m.) 50
vendeur, -euse (n.) 26, 54
venir (v.) 32, 34, 84
vent (n.m.) 66
vérifier (v.) 46
verre (n.m.) 64, 82, 90
vert(e) (adj.) 12, 110
veste (n.f.) 26
vêtement (n.m.) 26, 54
vider (v.) 18
viande (n.f.) 14
vie (n.f.) 114
vieillir (v.) 114
viennoiserie (n.f.) 8
village (n.m.) 56
vin (n.m.) 14, 20, 64
vinaigre (n.m.) 14
virement (n.m.) 52
visa (n.m.) 42
visiter (v.) 62
vitamine (n.f.) 92
vitrine (n.f.) 28
vœux (n.m.) 114

voici (prés.) 70
voir (v.) 40, 54, 56, 62, 66, 70, 72, 78, 82, 94,116
voisin, e (n.) 70, 84
voiture (n. f.) 72
voix (n.f.) 108
vol (n.m.) 58
voler (v.) 58
volontiers (adv.) 86
vouloir (v.) 8, 10, 14, 18, 20, 22, 24, 28, 32, 34, 38, 50, 52, 60, 76, 84, 86, 92
vrai(e) (adj.) 82, 104, 106
VTT (n.m.) 50
vue (n.f.) 22

W

W.-C. (n.m.) 22, 60

Y

yaourt (n.m.) 14
yeux (n.m.) → œil

Signification des abréviations	
adj. : adjectif	n.f. : nom féminin
adv. : adverbe	n.m. : nom masculin
adv.interr. : adverbe interrogatif	p.p. : participe passé
conj. : conjonction	pr.interr. : pronom interrogatif
interj. : interjection	prép. : préposition
loc. : locution	pron.indéf. : pronom indéfini
loc.adv. : locution adverbiale	v. : verbe

Imprimé en Italie en juin 2018
N° de projet : 10242251
Dépôt légal : juillet 2018